LES AUTRES ET MOI

Isabelle Filliozat

LES AUTRES ET MOI

Comment développer
son intelligence sociale

JC Lattès
17, rue Jacob 75006 Paris

ISBN : 978-2-7096-3017-7

À mes voisins, Jacki et Félix, Christine, Xavier, Claire, Charlotte, Catherine et feu Albert, Danielle et Serge, Renée, Renée, Michel et Vanille, Tonin et Julienne, Henri et Marguerite, Sylvie, Brigitte, Michel et Virgile, Isabelle et Antoine, Mme F. et tous les autres.

Introduction

« Vous partez vivre dans le Sud ? Vous êtes attirés par le soleil, mais vous allez voir, vous allez vite déchanter... Il est très difficile de s'intégrer, les Provençaux sont très fermés. Vous verrez, les gens ne sont pas accueillants... » Combien de fois avons-nous entendu ce refrain ? Et puis les « Untel est descendu, il est remonté dans le Nord. Unetelle n'a jamais réussi à se faire des amis. Elle est rentrée à Paris. »

Nous étions prévenus... Malgré tout, nous allions déménager de la banlieue parisienne vers Aix-en-Provence, attirés par l'ensoleillement, il est vrai, mais aussi pour nous rapprocher d'une école primaire publique Freinet[1]. Après l'échec de l'école primaire alternative que nous avions tenté de créer à Saint-Maur-des-Fossés, je voulais tout de même inscrire mes enfants dans une école qui leur apprenne le vivre-ensemble et l'autonomie. Nous avons défini un périmètre autour de l'école choisie, et en peu de temps, nous avons trouvé la maison de nos rêves, une vieille ferme à demi en ruines sur un beau terrain dégagé, en pleine campagne. Et nous avons fait le grand saut ! Des amis de longue date résidaient dans la région et même si je n'en avais pas revu certains depuis une bonne vingtaine d'années, nous

---

1. Pédagogie créée par Célestin Freinet : http.//freinet.org

aurions autour de nous quelques connaissances. En dehors de ces personnes, nous nous apprêtions à vivre en relative autarcie puisque les gens du Sud étaient réputés si peu accueillants. Justement, j'avais besoin de solitude et de repos.

Peu après notre arrivée, nous sommes partis nous promener sur les chemins autour de la ferme. C'était l'été, quelques voisins étaient dans leur jardin. Nous les avons hélés. Tous ne nous ont pas ouvert leurs grilles, mais tous nous ont répondu. Nous avons lancé nos invitations : « Nous sommes vos nouveaux voisins, nous nous sommes installés mercredi dernier. Nous voulions vous inviter à un apéro demain soir. Cela nous permettra de nous rencontrer. »

J'avais acheté du saucisson, des olives, des chips, tartiné tapenade et pâté et coupé des petits cubes de gruyère. Trahissant mes origines parisiennes, j'avais mis au réfrigérateur une bouteille de champagne, quelques bières, du jus de fruit. J'avais aussi du Whisky, du Muscat, du vin de pêche, du Porto… Mais je n'étais pas encore provençale, je n'avais pas pensé au Pastis ! Ils ne m'en ont pas tenu rigueur mais j'ai compris la faute. Dès le lendemain, je me suis équipée de cette boisson incontournable pour faire face aux nombreux apéros de l'été. Car, nous l'avons vite découvert : les Aixois passent volontiers chez vous à l'improviste pour dire bonjour, proposer un service, venir aux nouvelles…

Le jour dit, à 18 heures pile, les voisins invités sont venus, les bras chargés d'énormes bouquets de fleurs. « Pour vous souhaiter la bienvenue ! » J'étais stupéfaite. À Paris ou en banlieue, lorsque j'avais invité mes voisins à boire l'apéritif lors de mes emménagements successifs, personne ne m'avait jamais accueillie avec tant de fleurs ! Et puis ils auraient pu se contenter de quelques tiges. Or ces bouquets étaient somptueux. Cela me semblait beaucoup pour un apéro. M'étais-je trompée ? Venaient-ils pour dîner ? J'avais

– croyais-je – bien fait les choses, mais tout de même. J'étais très touchée et déjà interpellée. Nos premiers contacts avec les Provençaux ne concordaient pas avec ce qui nous avait été décrit.

Ils nous ont parlé du quartier, de l'histoire de la maison, un peu d'eux... C'était tout à fait agréable. Les heures passaient, il commençait à se faire tard. Je voulais faire dîner les enfants mais je n'osais pas mettre mes invités dehors. Des Parisiens se seraient déjà retirés. À 21 heures, j'ai fini par sortir une pizza du congélateur. Elle fut accueillie comme si elle était attendue. Je bénissais mon congélateur qui venait de me sauver la mise. Le temps passait, agréable, mais je devais m'occuper des enfants et je n'avais pas anticipé un dîner ! Je me sentais un peu coupable. Est-ce que ces gens s'attendaient à un vrai repas ? Ils avaient englouti la pizza avec plaisir. Mais je n'avais prévu ni suite, ni dessert.

Deux jours plus tard, devisant avec une des voisines avec laquelle les liens se consolidaient déjà, j'ai eu la réponse à mes interrogations. « Quand on se sent bien, on reste, me dit-elle. Et on mange à la bonne franquette. Inutile de sortir les grands plats ou de se mettre en cuisine, on mange des pâtes ou une pizza, histoire de partager un repas. » Donc, ils s'étaient sentis bien.

Dès ce moment, nous avons reçu le commandement d'appeler jour et nuit si nous avions besoin de quoi que ce soit. Nous avons pu vérifier par la suite la sincérité de cette offre. Décidément, les Provençaux ne ressemblaient pas à la peinture qui nous en avait été faite.

Aujourd'hui, sept ans après notre installation, nous nous sentons parfaitement intégrés même si nos origines parisiennes nous conduisent encore à quelques impairs. La communication nous permet rapidement de rétablir la qualité de la relation. Certains de nos voisins sont même devenus des intimes. Nous avons un véritable réseau relationnel, des amis proches, des copains, des relations professionnelles, des ressources pour garder nos enfants. Bref, nous trouvons la Provence et les Provençaux particulièrement accueillants. Sont-ce les Provençaux ou la manière dont nous sommes entrés en relation avec eux ? Sans doute un peu des deux. Ce décalage entre notre vécu et les préjugés véhiculés par les mises en garde répétées m'a incitée à me pencher sur le thème de l'intelligence sociale.

Tout se décide-t-il dès les premiers instants d'une rencontre ? Il est certain que notre manière de saluer, d'être présent ou non à l'autre influe sur la suite de la relation. Nous avons appris à dire bonjour pour être poli mais nous avons peut-être à désapprendre ce bonjour automatique pour le remplacer par un bonjour plus signifiant. D'autant qu'une salutation sans conscience risque de nous engager dans des répétitions systématiques de notre histoire. Oui, dans un simple bonjour, il y a tout notre passé et notamment les blessures non résolues qui vont chercher à s'exprimer et tenter d'inciter nos interlocuteurs à interpréter le rôle que nous leur assignons dans notre théâtre intérieur. Êtes-vous certain de désirer rejouer ainsi les mêmes *scenarii*, rencontre après rencontre ? Dès le premier chapitre, nous chercherons à mettre de la conscience dans le regard, la voix, l'intonation, la position des mains, la distance à l'autre, et surtout, la présence à soi et à l'autre, pour un bonjour authentique.

Et après avoir dit bonjour ? Que se dire ? Comment briser la glace, entrer en contact ? Ce sera l'objet du chapitre 2. L'humain est un animal social. Il a besoin des autres. Mais la peur qui s'installe trop souvent en lui l'empêche de se nourrir de contacts. De la timidité à la phobie sociale, la relation à l'autre est souvent problématique. Beaucoup de gens ne savent pas comment se comporter lors d'une soirée ou dans une situation informelle, sont terrifiés à l'idée de parler en public ou d'entrer en relation avec des inconnus, sont démunis devant les conflits et/ou sont insécurisés par la solitude ou la nouveauté. Certains camouflent cette insécurité sous une attitude fanfaronne, menaçante ou excessivement détachée. Honte, peurs du rejet ou de ne pas être à la hauteur, les sentiments craintifs se dissimulent, souvent, sous les jeux de domination ou de soumission. Les peurs sociales sont plus fréquentes qu'on n'ose le penser. Elles s'expriment aussi dans le racisme, le sexisme, les ismes de toutes sortes. L'autre, inconnu, différent, inquiète. Comment interagir avec lui ?

Au chapitre 3, nous nous pencherons sur notre réseau relationnel et son importance pour rester en bonne santé tant physique que psychique. Quelques amis ne suffisent pas. Les relations avec nos voisins, avec nos collègues, avec les commerçants, et même avec les gens que nous croisons dans l'ascenseur ou dans la rue jouent beaucoup sur notre quotidien.

Pour faire face à ces autres dans le cours de notre existence, nous avons appris à revêtir un masque social, qui nous piège dans des interactions stéréotypées. Dans mes précédents livres, je vous ai invité à explorer les profondeurs de votre psychisme, à plonger dans vos émotions. Ici, nous allons regarder d'un peu plus près nos comportements externes et leur impact sur autrui. Car nous ne sommes pas toujours conscients de notre part de responsabilité dans ce qui nous arrive. Or, nos attitudes entraînent les réactions des autres. Il suffit parfois d'un peu de conscience pour reprendre le volant de sa vie et recouvrer sa liberté. Déceler les schémas relationnels dans lesquels nous sommes englués aide à les dénouer.

Nous verrons comment nous cherchons à nous rassurer en ordonnant le monde. Certains se sentent à l'aise, ils maîtrisent les codes, d'autres se sentent démunis : « Je n'ai pas les codes. » Ces codes sociaux existent-ils ? Ce sera la question du chapitre 5. Chaque région a sa culture et ses particularismes. À vrai dire, chaque famille a sa culture. Et tous les humains ont soif de la même chose : de contacts sociaux. Il est devenu un lieu commun de dire que la politesse se perd : est-ce bien vrai et qu'est-ce que la politesse ? Parfois, nos « masques » nous enferment dans des comportements labellisés « polis » mais qui violent des lois relationnelles fondamentales. Nous en subissons les conséquences sans comprendre : nous avions pourtant voulu bien faire ! La réciprocité fait partie de ces lois relationnelles universelles, nous l'étudierons au chapitre 6, en découvrant que nous sommes bien plus que nous ne le pensions déterminés par notre environnement. Nous verrons au chapitre 7 combien nous ne pouvons vraiment comprendre nos attitudes et même notre personnalité qu'en prenant en compte l'influence sociale et nos interactions avec autrui.

Dans notre société, l'aisance sociale est une clef qui ouvre toutes les portes. Or on n'en enseigne pas même les rudiments dans la plupart des écoles primaires ou secondaires ! L'idée que l'école permet de socialiser les enfants est pourtant très répandue. Comme s'il suffisait pour se socialiser d'être regroupés par âge. L'importance des incivilités, l'agressivité, voire la violence, trop souvent présentes dans les cours de récréation, voire dans les classes, nous montrent combien partager un même lieu est insuffisant pour devenir sociable. Nous en parlerons au chapitre 8.

Il suffit de quelques clefs pour entrer dans le cœur des gens. Certains semblent naturellement les posséder. Ils maîtrisent les codes sociaux et communiquent volontiers. Extravertis, ils parlent à tout le monde. Ils détendent l'atmosphère, animent un dîner. D'autres se sentent démunis en situation sociale, ils ne savent comment se comporter et sont paralysés en public. La plupart d'entre nous oscillent entre ces deux extrêmes et sont plus ou moins à l'aise selon les circonstances. Or peut-on apprendre à être à l'aise en toutes circonstances ?

« L'enfer, c'est les autres » disait Sartre.

Oui, mais les autres sont notre miroir...

Il ne tient peut-être qu'à nous de changer le monde ? Ou tout au moins notre monde, celui au sein duquel nous évoluons. Prêt à voir votre quotidien sous un jour nouveau ? Vous serez parfois bousculé dans vos certitudes. Par exemple, vous découvrirez que la politesse n'est pas toujours garante d'harmonie relationnelle ou que la violence n'est pas toujours l'apanage des méchants, que le bien et le mal sont relatifs, et que l'obéissance fait le lit de l'incivilité. Nos parents nous ont peint la vie à leur façon, et pour la plupart d'entre nous, après une période de rébellion pour certains, nous avons intégré leur modèle du monde et les principes qui le soutiennent. Remettre en cause cette construction n'est pas toujours évident. Pourtant, je vous propose de soumettre à votre intelligence vos habitudes de pensée. Intelligence, *inter* : entre, *legere* : lire. Oui, il s'agit de lire entre les lignes. Et surtout, ne croyez pas ce que vous lirez. Testez plutôt, vérifiez et observez.

1.

Bonjour

« Tu es une des rares personnes que je connaisse à savoir dire bonjour ! » me confie un jour une cliente. Interloquée par cette remarque, j'ouvre de grands yeux interrogateurs. Elle m'explique : « Quand tu m'accueilles, tu es vraiment là, totalement présente à moi et cela se sent dans ton sourire, dans tes yeux et dans ta manière de prononcer ce simple mot : bonjour. »

J'ai alors réalisé que j'avais fait mienne cette phrase d'Éric Berne, père de l'Analyse Transactionnelle : « Dire bonjour correctement, c'est voir l'autre personne, prendre conscience d'elle, se manifester à elle et se tenir prêt à ce qu'elle se manifeste à soi.(…) Pour dire bonjour, on se débarrasse de tous les détritus accumulés dans la tête depuis qu'on est venu au monde. Ensuite on reconnaît que ce bonjour particulier ne se reproduira jamais. C'est là un apprentissage qui peut demander des années. »

Dire bonjour, c'est voir l'autre, le reconnaître, l'accueillir, lui manifester de l'estime – je vous estime suffisamment pour m'adresser à vous –, lui donner une place dans notre paysage. Être présent à l'autre fait toute la différence dans un simple salut. Saluer « par politesse » de

manière automatique, sans prendre le temps de respirer, de
regarder l'autre, ne produit pas les mêmes effets. Lorsque le
mot *bonjour* sort de votre bouche, tout un travail inconscient
a été mené par votre cerveau. Le dire trop vite court-cir-
cuite ce travail interne, et si vous ne respirez pas en prenant
le temps d'être vraiment présent à ce qui se passe, vous
laissez la place aux apprentissages inconscients de votre
enfance. Vous dites bonjour, mais le volume, le ton, la direction des yeux, votre poignée de main, tout dit votre rapport
à vos parents : soumission, bravade... et bien sûr cela
influence le regard que va porter sur vous votre interlocuteur.

Nous comprenons bien que, si dans le passé, nous
avons souffert de l'attitude d'un proche, nous avons tendance à aborder les nouvelles personnes avec plus ou moins
de méfiance. Mais le phénomène est si automatique et
inconscient que la projection est le plus souvent abusive.
Notre méfiance est injustifiée puisque nous n'avons encore
aucune expérience avec cette personne en particulier.
Parfois, la réalité est juste teintée de rose ou de noir, comme
si nous portions des lunettes de couleur, d'autres fois, elle est
fantasmée. Pour peu que les enjeux soient importants pour
nous, il est probable qu'alors, nos systèmes de stress et de
protection soient pleinement activés.

Si nos parents ont exigé obéissance et soumission, nous
aurons tendance à adopter cette attitude d'obéissance et de
soumission face à la hiérarchie, voire à généraliser cette attitude à toute personne. Si nous avons appris à nous considérer
nous-même comme insignifiant, notre bonjour sera teinté de
cette insignifiance.

Si un frère nous terrorisait, la vue de toute personne qui
lui ressemble, ne serait-ce que parce qu'elle a un âge proche
de celui du frère en question, déclenchera l'alerte de

l'amygdale [1]. Bien sûr, nous allons nous contrôler et nous comporter correctement, mais si la fuite est impossible, nos yeux seront probablement fuyants, hors de notre contrôle, et notre voix n'aura pas la fermeté habituelle.

Notre cerveau nous simplifie la vie en automatisant ses réponses. Il assimile les nouvelles informations et généralise autant qu'il le peut ses réponses. Ces généralisations peuvent nous porter préjudice dans les relations humaines. Ce que nous voyons n'est pas la personne mais ce que nous projetons sur la personne. Nous ne sommes pas forcément conscients de ces projections, mais elles dirigent nos attitudes. Avec l'inconvénient majeur que cela invite une réaction de notre vis-à-vis. C'est un peu comme si nous le dirigions vers des comportements qui nous permettent de confirmer nos croyances.

Il est important d'être réellement présent à soi. Dire un vrai bonjour nécessite de prendre quelques instants pour plonger en soi et sentir ce qui s'y passe, nettoyer les résidus de notre passé, balayer les attentes. Présence à soi, puis à l'autre, ici et maintenant. En effet, force est de reconnaître que nous avons toutes sortes d'attentes envers autrui. Nous laissons rarement l'autre libre d'être qui il est. Notre histoire personnelle nous influence. Nos expériences passées, notre imaginaire mettant en scène nos émotions refoulées, nos projections mentales, les préjugés véhiculés par l'entourage, nous conduisent hors de notre conscience à avoir des attentes quant au comportement, aux pensées et aux sentiments des autres. Nos émotions alimentent nos projections, comme dans la petite histoire suivante.

Vendredi soir, un Parisien roule sur une route de campagne, la nuit est bien avancée. Soudain, il crève un pneu ! Il

---

1. L'amygdale cérébrale est un complexe de neurones en forme d'amande situé au centre du cerveau. Elle déclenche la réaction de stress dans l'organisme.

s'arrête, sort la roue de secours puis s'aperçoit qu'il n'a pas son cric. Le week-end précédent, il s'en est servi et ne l'a pas rangé. Il s'arme de courage et part à pied vers le dernier village traversé, à dix kilomètres. Là, se souvient-il, se trouve un garagiste qui devrait pouvoir lui vendre un cric. Une pluie pénétrante commence à tomber et à le glacer jusqu'aux os. Les nuages cachent les étoiles et la lune. Sa lampe électrique ayant rendu l'âme, il est dans l'obscurité. Il commence à ressasser de noires pensées : « Est-ce qu'au moins ce garagiste va avoir un cric ? Ouais, bien sûr, tous les garages ont des crics. Mais, le mec, il va te voir venir... Dans ta situation, il va au moins t'en demander 100 euros... » Un kilomètre, deux kilomètres, il continue à ressasser. « Tu parles, il peut même t'en demander 200, de toute façon, t'as pas le choix. » Une rage sourde croît en lui au fil des kilomètres, et il continue son dialogue intérieur : « T'es complètement à sa merci, mec. Il peut même te le vendre 300 euros, son cric, et toi, comme un con, t'auras qu'à la fermer et payer... » Il arrive enfin en vue du bourg, et il aperçoit l'enseigne du garage. Il rassemble le peu de forces qui lui restent et continue à rouscailler : « Tu vas voir que ce connard est capable de t'en demander 400, 500 euros. C'est pas tous les jours qu'il trouvera un tel pigeon. » Arrivé à 2 heures du matin au garage, il commence à tambouriner sur la porte. Pas de réponse. Il cogne de toutes ses forces. Une tête ensommeillée apparaît à une fenêtre du premier étage. Avant que le garagiste n'ait pu placer un mot, le Parisien au comble de la fureur lui hurle : « ESPÈCE DE SALAUD, TU SAIS OÙ TU PEUX TE LE COLLER, TON CRIC ! »

Plein de colère, de sentiments d'injustice, de frustration, l'homme n'a pas réussi à mettre tous ces sentiments de côté pour être neutre vis-à-vis du garagiste. Il a projeté sur lui sa fureur. Une fureur entièrement montée par son cerveau. Il a créé une histoire et y adhère comme si c'était la réalité. Bien sûr, le trait est grossi, mais regardons les choses en face : comme cet homme, nous avons tendance à nous comporter en fonction de nos projections. Nos préjugés, nos émotions, notre situation et nos pensées, influent sur nos attentes particulières. Tout cela ne serait pas bien grave si nos attentes étaient identifiées comme telles, restaient dans nos têtes et n'avaient pas un impact direct sur nos comportements. Or, forcément, nos attitudes dépendent de nos pensées. Nos croyances, nos *a priori*, jouent un rôle non négligeable dans notre manière d'aborder autrui.

Si nous avons la conviction que la personne en face de nous nous en veut, nous nous comporterons avec défiance. Si nous pensons que la personne est impuissante et démunie, nous allons la prendre en charge avec condescendance, l'humiliant et la rendant impuissante et démunie. Si nous avons la certitude qu'elle est agressive, nous mettrons de la distance, l'obligeant à une certaine agressivité (*ad gradior* : je marche vers) pour nous rejoindre. C'est ainsi que nos prédictions se réalisent.

Pour rencontrer une personne, nous avons tout intérêt à mettre de côté toute attente pour la laisser libre d'être qui elle est en cet instant. Une personne différente de celle qu'elle était hier et de celle qu'elle sera demain. Bien sûr, il arrive que nous rencontrions quelqu'un alors que nous sommes dans la douleur, ou très préoccupé. Notre priorité n'est alors évidemment pas d'accueillir l'autre, c'est nous-mêmes qui avons besoin de place et d'accueil. Notre bonjour en sera teinté. Nous ne nous centrons pas sur l'autre, mais sur nous-même, invitant notre interlocuteur lui aussi à se centrer sur nous. Nous lui disons bonjour, mais en réalité notre « bonjour » veut dire « regarde-moi, j'ai besoin de toi. »

Un bonjour n'est pas anodin. En quelques secondes, vous dites qui vous êtes et quel genre de relation vous vous sentez prêt à établir avec cette personne. On dit que tout se décide dans les premiers instants. C'est assez vrai et logique si on y réfléchit. Dès le début d'une rencontre, nous sommes toutes antennes dehors pour identifier qui est notre interlocuteur. C'est une question de survie ! Nos peurs plus ou moins archaïques s'en mêlent et peuvent nous mener à mettre un masque et à proposer à notre interlocuteur un bonjour porteur d'un tout autre sens que l'accueil. Notre bonjour donne le ton. Il peut être accueil ou menace, indicateur de position sociale. Un bonjour sonore, autoritaire, qui prend le pouvoir sur l'autre signifie : « Je suis supérieur à toi, tu ne peux pas me toucher. » Un bonjour effacé, à peine esquissé à faible voix, dit à l'autre : « Je suis si petit, si insignifiant… » Il y a le bonjour séducteur et le bonjour chargé d'espoir, le bonjour qui dit « je ne veux pas vous voir, je ne suis pas intéressé ».

Dire bonjour est un rituel. Et trop souvent, nous oublions que ce n'est pas que cela. Saluer machinalement nous dessert. Prenons le temps de sentir, de rassembler notre présence à nous-même et à l'autre. L'intonation, le volume, la prosodie [1] d'un bonjour disent tant de choses. L'impression initiale compte énormément, elle marque la relation durablement. Autant y être attentif !

Le salut est l'unité de base de la reconnaissance de l'existence de l'autre. Il marque le respect au sens originel du terme. Respecter dérive du latin *respicere*. *Re* : retour arrière ou répétition et *specere* : regarder.

Il dit « Je te vois ». Il crée la relation entre Je et Te. Signe de reconnaissance, il est aussi confirmation d'appartenance. Se saluer, c'est dire « je te reconnais comme une personne qui me ressemble ». Les motards se saluent sur la

---

1. Prosodie : intonation, accentuation des syllabes.

route. Ils se disent ainsi : « Nous appartenons au même groupe. »

En randonnée, dans la montagne, quand on croise peu de monde, on échange volontiers un bonjour qui signifie « Nous partageons la même expérience ». Dès qu'il y a affluence, les bonjours se raréfient, non pas pour économiser sa salive, mais par protection. Dès que le bruit ou la quantité de stimuli augmentent les humains rentrent à l'intérieur d'eux-mêmes. Dans les rues des grandes villes, les gens ne se saluent pas s'ils ne se connaissent pas. L'absence de bonjour entre les voisins dans les immeubles crée un déficit social. On se sent plus seul encore que s'il n'y avait personne, on ne se sent pas appartenir. Les ascenseurs sont un haut lieu de phobie sociale. Certaines peurs des ascenseurs sont en réalité des paniques à l'idée de se retrouver seul avec un inconnu et de ne pas savoir quelle contenance prendre. Même sans être atteint de phobie sociale, il nous arrive fréquemment de ne pas trop savoir comment nous comporter entre deux étages avec un inconnu. Doit-on le regarder ? Baisser les yeux ? La plupart d'entre nous se concentrent sur les boutons qui s'allument ou sur la notice d'OTIS. L'ennui est que nous cherchons à savoir comment nous comporter et comme aucun guide de politesse dans les ascenseurs n'a encore été publié, chacun est livré à lui-même. Quand un inconnu est avec vous dans un espace réduit et fermé, votre cœur s'accélère légèrement, votre corps se met en subtile tension. C'est naturel. Votre corps est prêt à réagir. Nous interprétons souvent cette légère tension – qui pour certains est forte voire insoutenable – comme de la peur. C'est en tout cas une situation de stress, au sens originel du terme, effort d'adaptation de l'organisme à une sollicitation. Au lieu de gérer ce stress en adressant la parole à l'autre, du fait de notre éducation à l'obéissance, nous avons une fâcheuse tendance à chercher à nous soumettre à un hypothétique « il faut », à nous adapter, à nous montrer « enfant sage ». Une option nettement plus productive pourrait être de nous vivre non en objet passif mais comme sujet, non comme l'Enfant Soumis mais comme Parent[1], c'est-à-dire actif et donc responsable de la situation.

Nos peurs et nos habitudes de politesse/soumission nous empêchent souvent de nous comporter de manière constructive. Pourtant, qui appréciez-vous le plus ? La personne qui plonge son nez sur le « poids maximum autorisé » ou celle qui vous salue, vous demande à quel étage vous montez puis vous souhaite une bonne journée en vous quittant ? Et pourquoi ne pas être cette personne qui donne du confort aux autres ?

Quand vous racontez qu'il ne sert à rien de saluer des individus avec lesquels vous ne passez que quelques secondes entre deux étages et que vous ne reverrez probablement jamais, souvenez-vous de votre humeur après un voyage en ascenseur sans parole ni regard échangé et de celle qui vous anime si on vous a dit bonjour et bonne journée ? Si vous pensez qu'il n'y a aucune différence, c'est probablement que vous êtes si carencé que vous n'arrivez plus à recevoir ce bonjour qui vous a été adressé. Il glisse sur vous et vous laisse effectivement froid. Il peut paraître vide de sens, mais quand on l'omet, il manque.

Léon est à la retraite et s'apprête à déménager. Il vit depuis trente-huit ans dans la même commune. Il se rend à la mairie pour notifier son déménagement et mettre sa nouvelle adresse sur sa carte d'identité... Le préposé lui tend un papier : « Tenez, voici le formulaire ». Léon est tout décontenancé par cette absence de paroles, tout en se culpabilisant

---

1. Les majuscules renvoient au concept d'Analyse Transactionnelle des États du Moi.

de ses attentes : « Qu'est-ce que tu crois, ça n'intéresse personne... Mais tout de même, trente-huit ans au même
endroit, à voter dans la commune et c'est tout ce qu'il me
dit : "Voici le formulaire" ? »

Léon aurait aimé que le préposé entoure sa prestation
d'un peu d'humanité, il aurait aimé entendre : « Au bout de
trente-huit ans vous nous quittez » ou « Alors comme ça
vous partez » ou « Tiens, vous allez dans le Sud »...
N'importe quoi qui lui aurait permis de se sentir être une
personne et d'avoir des sentiments et des pensées. Le préposé n'était pas forcément un mauvais bougre, juste un
homme pris par l'efficacité de sa tâche. Lui-même est si souvent traité comme un outil. Car finalement, Léon y est allé
avec ses attentes mais sans offrir lui non plus les quelques
mots d'empathie ou de considération dont pouvait avoir
besoin le préposé. Et si ce dernier s'est contenté d'être efficace, c'est peut-être aussi qu'il n'a pas été invité dans le lien.
Car avouons-le avant de nous plaindre de l'anonymat montant des administrations, nous avons tendance à considérer
les autres comme des instruments.

Souhaiter une bonne journée au guichetier, au policier
en faction au carrefour ou à la caissière du supermarché,
c'est se centrer sur eux quelques instants, les faire exister en
tant que personnes. Sinon, ils ne sont que des outils. Ce
simple rituel social est un peu comme se brosser les dents,
c'est un geste d'hygiène sociale, tout petit, mais fonda-
mental. Nous n'en voyons peut-être pas l'impact immédiat,
mais si nous l'oublions trop souvent et si les bonjours
s'absentent des ascenseurs, l'isolement gagne, ainsi que les
sentiments d'exclusion, d'injustice, et donc la dépression et
la violence.

Hélène ne sait jamais quoi dire ni aux caissières ni aux
hôtesses d'accueil, ni aux préposés derrière leurs guichets.

Elle préfère les automates. Quand elle a le choix, elle se dirige vers la machine qui ne lui demande pas de parler de la pluie et du beau temps et qui n'a pas d'émotions. Elle ne veut que le formulaire et pas de petite conversation. Les automates accélèrent les transactions, simplifient la vie aux phobiques sociaux, mais affaiblissent le lien social.

Dans l'avion, il y a trente ans, il était courant de parler à son voisin. L'expérience du voyage aérien n'était pas répandue comme aujourd'hui. C'est devenu un moyen de transport de masse, et les passagers se parlent de moins en moins. Dans la rue, dans le train, le bus ou le métro, on ne se parle pas. Plus il y a de monde, moins on se cause. Il faut une grève, une chute de neige, un accident, une tempête, voire un attentat pour que les gens osent communiquer sans se connaître. C'est peut-être une des raisons pour lesquelles les Français aiment tant les grèves et les manifestations, elles créent du lien dans notre société qui a tant de mal avec le lien.

Une clé de la relation, le projet

Vous avez peut-être appris à dire bonjour pour être poli. Vous ne mettez donc dans votre salut que politesse. Pourtant bonjour a de nombreuses fonctions : initier le contact, reconnaître l'existence de l'autre, le rassurer, lui donner des informations sur nous et sur nos intentions à son égard, lui signifier qu'il n'est pas seul, lui manifester de l'estime, lui témoigner toute la valeur qu'il a à nos yeux, favoriser la convivialité.

Dans la formulation ancienne « Je vous donne le bon jour », on entend encore l'ouverture que le bonjour suscite. « Je vous donne ! » Faites l'expérience de donner vos « bonjour » comme des cadeaux. Voyez comme vos contacts et même votre humeur changent quand chacun de vos bonjours est porteur de « Je suis là et je te reconnais en face de moi, je te souhaite un bon jour » au lieu de « Qui êtes-vous ? Je ne sais pas me comporter à votre égard /Dépêchez-vous, je n'ai pas de temps à perdre/Vous ne m'intéressez pas/S'il vous plaît intéressez-vous à moi... »

Reconnaissons que nous fonctionnons parfois un peu trop en pilote automatique. Nous oublions le sens des choses et nos bonjours perdent en présence et conscience. Dans notre bonjour, nous donnons à l'autre et nous exprimons notre désir, notre intérêt à la relation.

Pendant la phase de précontact, nous élaborons le projet de relation avec notre interlocuteur. Le projet reste souvent inconscient. Avoir un objectif en tête donne une certaine intensité et qualité au bonjour.

Une jeune femme était souvent laissée de côté, elle n'était pas invitée dans les conversations, et se disait que les autres, décidément, ne lui faisaient guère de place. Elle se désespérait : « Je n'intéresse personne. » En observant la manière dont elle disait bonjour, j'ai eu une clé de son problème. Elle disait bonjour machinalement, sans avoir aucun projet en tête. Elle était donc passive, en attente. Elle ne percevait pas qu'ainsi, elle semblait *insignifiante* aux gens non pas parce qu'elle l'aurait été en tant que personne, mais parce qu'elle ne *signifiait* rien, elle ne donnait pas de *signe*. Quand nous en avons discuté, elle ne voyait même pas ce que pouvait vouloir dire « avoir un objectif en tête ». Le projet peut préexister à la rencontre – je sais pourquoi je vais voir telle ou telle personne –, ou naître dans le précontact. Un objectif peut être d'écouter l'autre ou de se montrer, de séduire ou de dépanner, de négocier ou d'aimer, de découvrir l'autre ou de le dominer, de lui faire plaisir ou de lui indiquer que nous sommes la personne qu'il cherche.

Un homme se désolait de ne pas y arriver avec les femmes. Il avait pourtant beaucoup de femmes autour de lui, il était très apprécié en tant qu'ami. Elles lui faisaient force compliments sur sa douceur, son attention et lui serinaient que décidément la femme avec laquelle il vivrait serait heureuse avec lui. Mais toutes refusaient ses avances en arguant ne pas éprouver de désir pour lui. Lorsque je lui demandai s'il avait en tête de séduire une femme lorsqu'il s'adressait à elle, il s'offusqua ! Surtout pas ! Il ne voulait pas risquer d'être assimilé à ces hommes qui n'ont que « ça » en tête. Oui, mais du coup, lui l'avait tellement peu en tête, que les femmes ne se sentaient pas désirées et donc ne se sentaient pas sexuellement attirées. Pour que les femmes aient envie de lui, elles devaient recevoir le message de son intérêt sexuel envers elles. Son projet de sexualité étant plus présent en lui, il aurait eu une présence plus magnétique, plus séduisante. Au lieu de quoi, ses amies ne percevaient que son projet inconscient : montrer qu'il était sexuellement inoffensif. Et elles y répondaient en n'éprouvant aucun désir pour lui. Cet homme était inconscient de créer la situation douloureuse qui était la sienne. Il pensait qu'une espèce de fatalité s'abattait sur lui ou qu'il n'était tout simplement pas assez bien pour attirer une femme. Ces considérations ne manquaient pas d'aggraver le problème puisqu'il tentait plus encore de ne pas montrer son désir pour ne pas insécuriser les femmes...

Être conscient de son objectif permet d'orienter la focalisation de l'attention sur soi ou sur l'autre. Chez le médecin, on se centre sur soi, puisque l'objectif est qu'il nous soigne, donc qu'il se centre sur nous. En revanche, si vous êtes le médecin, vous vous centrez sur votre patient. Rencontrant un ami, vous vous centrez sur lui sauf si vous êtes dans l'émotion, venez de vivre une épreuve, et avez besoin de son attention.

Lors d'un entretien d'embauche, ou de toute négocia-
tion, vous avez tout intérêt à être centré sur celui qui vous
embauche. L'objectif global de l'entretien est d'être engagé.
La tentation est donc de « se vendre », de se valoriser. Et
certes, nous avons à le faire, mais point trop n'en faut. Si
nous montrons tout ce que nous pourrons apporter au poste,
si nous développons avec trop d'enthousiasme nos compétences et qualités multiples, nous risquons de déclencher
l'effet inverse. Dans la plupart des postes, vous n'êtes pas
engagé par une personne qui vous sera inférieure par la suite.
Or si vous faites part de tout ce dont vous êtes capable et surtout si vous évoquez combien la situation va changer grâce
à vous... votre interlocuteur risque de se sentir en péril.
Qu'est-ce qui peut le motiver à vous engager ? Pour
répondre à cette question, il s'agit de réfléchir à la nature du
poste, à sa position par rapport à ce poste dans la hiérarchie, à la nature du travail, solitaire ou en équipe. Une chose
reste toujours vraie : il vous engagera s'il se sent valorisé par
l'« acquisition » de votre personne. À moins que ce ne soit
un travail très solitaire et requérant des compétences hors
normes, c'est votre intelligence relationnelle qui fera la différence.

Le recruteur vous engagera s'il vous trouve compétent.
Or ce jugement n'a pas seulement à voir avec des résultats
objectifs, il est fortement influencé par la nature de votre
relation. Il va vous trouver sympathique et compétent s'il se
sent bien avec vous. L'objectif est donc de le rassurer, le
valoriser, lui faire de la place. Au lieu de lui montrer que
vous êtes intelligent, vous avez intérêt à lui permettre de se
sentir intelligent à votre contact.

Dans votre regard, vous transmettez : « Je suis la personne que vous cherchez. Avec moi vous allez vous sentir
intelligent et compétent. » Vous êtes centré sur lui et non sur
vous-même. Surtout quand il vous pose des questions sur

vous. Vous ne répondez pas à la question, mais en fonction de ce qu'il a besoin d'entendre. Par exemple :
— Vous avez des enfants ?
— Ils sont grands, je suis disponible.
Ou encore :
— Oui, trois, ils m'ont appris à gérer les priorités et les conflits !

Si avoir un objectif en tête est utile pour un entretien d'embauche, cela ne l'est pas moins, nous l'avons vu pour séduire, et dans toute situation relationnelle. Plus notre objectif sera clair, plus la relation sera facile. Au quotidien nous n'avons évidemment pas besoin de réfléchir ainsi à nos comportements, sauf si nous sommes autiste. Le cerveau des autistes est très performant dans la logique, les règles, mais leurs compétences sociales sont réduites et comme ils ne lisent pas les sentiments des autres sur leur visage, ils ne voient pas la nécessité de les regarder. Eux doivent se donner la consigne « Je regarde dans les yeux une personne que je rencontre ».

Mais pour quiconque n'est pas atteint d'autisme, nos neurones miroir, notre cerveau frontal, réalisent spontanément les ajustements. Il est juste nécessaire que nous leur en donnions le temps en respirant quelques secondes avant de dire bonjour.

Doit-on toujours avoir un objectif ? Même quand on rencontre des amis ? Il n'y a pas de « il faut », mais il est utile de savoir que n'ayant pas d'objectif, nous ne pouvons pas nous plaindre de ne pas l'atteindre. Et il est fréquent que nous désespérions de certaines relations qui ne répondent pas à nos attentes sans avoir conscience de participer au problème en n'ayant pas conscientisé notre but.

Par ailleurs, l'espace motivationnel étant libre, nos automatismes inconscients risquent de s'en emparer et de prendre le pouvoir sur la situation. Quand nous ne poursuivons pas consciemment un objectif, notre inconscient qui a, lui, toutes sortes de besoins va en profiter : rejouer les dynamiques de notre enfance pour leur trouver une autre issue, libérer les émotions refoulées depuis trop longtemps, juguler le sentiment d'impuissance qui nous étreint depuis tout petit, confirmer des croyances issues de décisions archaïques... Toutes sortes d'objectifs dont nous n'avons guère envie consciemment. Chaque fois que dans notre vie nous nous sommes dit « décidément », c'est probablement que nous avons laissé le champ libre à notre inconscient et qu'il s'est attaché à nous faire vérifier nos croyances négatives sur nous-même et sur le monde : « Tout le monde me rejette, personne ne m'aime, je ne suis pas intéressant, les autres n'écoutent pas, on ne peut faire confiance à personne... »

Dire un vrai bonjour, c'est être tout à la fois présent à soi et à l'autre, avoir un projet avec la personne. Et non pas un projet sur elle, bien sûr, qui serait une prise de pouvoir. Oui, il y a tout cela dans un simple bonjour. Nous pouvons mesurer à l'aune de ce qui vient d'être dit combien ce peut être compliqué pour les enfants de dire bonjour. « Dis bonjour à la dame. » Les enfants ne disent pas spontanément bonjour aux personnes qu'ils ne connaissent pas. Vous non plus, d'ailleurs. Vous ne dites pas bonjour à chaque personne en entrant dans le métro ou dans un restaurant parce que vous n'avez pas de lien, pas de projet avec ces personnes. Un enfant qui dirait bonjour spontanément à toutes les dames qu'il rencontre manquerait de conscience. Vous dites bonjour au charcutier parce que vous allez lui acheter du jambon, vous le saluez dans la rue parce que vous le connaissez, vous saluez une personne que vous ne connaissez pas encore parce que vous l'identifiez, vous la catégorisez ou vous avez un projet. Les enfants ne sont pas spécialement « timides » comme on les juge trop rapidement pour éviter de se sentir mal à l'aise et jugé « mauvais parent ». Ils attendent simplement de voir à qui ils ont affaire. Ils attendent de pouvoir identifier la personne et éventuellement de faire un projet avec elle. Inutile donc de stresser les enfants en leur demandant de faire ce que nous ne ferions pas. Plutôt que de les rendre timides en leur apposant une étiquette, notre rôle consiste à les éduquer à la relation. Leur montrer comment on regarde d'abord dans les yeux pour mesurer la disponibilité de l'autre, dans quelle intention on dit bonjour. C'est notre propre malaise qui nous conduit à dire « Il est un peu timide ». Certes, quelque chose a besoin d'être formulé. L'adulte qui n'est pas salué par l'enfant peut se sentir gêné. Mais c'est à nous de parler en premier et non à l'enfant. Parler de son enfant à la troisième personne, donc le placer en position d'objet puis lui enjoindre : « Dis bonjour à la dame », le met dans une situation compliquée. Un objet n'a pas de projet. De plus, l'enfant se souvient qu'il lui a été bien recommandé de ne pas parler aux gens qu'il ne connaît pas ! Pris par l'urgence de montrer que leur enfant est poli, les parents oublient parfois que ce dernier est encore un peu petit pour faire la différence entre le « n'importe qui » à qui ils lui ont interdit de s'adresser et les gens qui sont connus même s'il ne les connaît pas. Le petit a donc besoin d'une permission explicite pour parler à cette personne spécifique. Un ordre : « dis bonjour à la dame » induit de la confusion dans son esprit, puisqu'il vient en contrordre du « ne parle pas à n'importe qui ».

Si nous nous souvenons que pour sortir de la crainte et dire bonjour il nous faut sentir le lien et se vivre comme sujet, nous pouvons aider notre enfant à exister en tant que personne en nous adressant à lui : « Bastien, je te présente Thérèse, c'est notre voisine, elle habite dans l'immeuble d'en face. Tu peux lui dire bonjour quand tu la croises ou quand tu la rencontres comme aujourd'hui. » Vous devriez au moins obtenir un sourire et un regard, et le bonjour se déclenchera dès la prochaine rencontre.

L'enfant aura ainsi un cadre pour regarder la dame dont sa maman lui parle. De plus, la présentation sera suffisante pour vous éviter de vous sentir mal si Timothée ou Anaïs ne répondait pas au salut de Thérèse. Pour que l'enfant dise bonjour, il lui faudra non pas « un peu de temps » comme pensent les parents, mais du temps pour construire son projet et se mettre en position de sujet. Nous, les adultes, avons intégré un bonjour automatique. Lui, pour dire bonjour, prend le temps de se sentir exister en tant que sujet, puis de sentir le lien.

Rappelez-vous, la dernière fois que vous avez été dîner chez des amis qui avaient un jeune enfant. Quand vous êtes entré, il s'est caché derrière sa maman. Mais n'est-il pas venu un peu plus tard s'installer juste à côté de vous avec un jouet dans ses mains ou pour faire un dessin ? C'est sa façon de ne plus être objet mais sujet, de se présenter en tant que personne, sa manière de dire sans mots : « Voilà qui je suis, tu veux jouer avec moi ? »

À chacun sa bulle

Dorine vient me parler, elle s'approche de moi. Si près que je me recule légèrement. Elle avance. Je sens son haleine, mes yeux ont du mal à s'habituer tant elle est proche de moi. Je recule. Elle tente de nouveau de réduire la distance... Dorine me parle, mais j'ai du mal à l'écouter, j'ai envie de fuir. Dorine ne comprend pas, elle est au service de tout le monde, elle tente toujours de faire plaisir et pourtant ses relations aux autres sont chaotiques. Elle ne comprend pas pourquoi les autres sont si « méchants » envers elle ou l'ignorent. Elle n'a pas conscience d'envahir l'espace personnel des autres et d'ainsi stimuler leur violence ou les faire fuir.

Chacun est entouré d'une distance personnelle de sécurité. Quand autrui pénètre dans cet espace autour de notre corps, notre amygdale cérébrale réagit et le stress se déclenche. Deux grands motifs autorisent la pénétration dans la bulle : l'amour et le combat. Une personne s'approche trop ? Nous nous mobilisons. Sur nos gardes, nous éprouvons crainte, gêne, voire colère. Edward T. Hall[1] a forgé le terme de proxémie pour nommer l'étude de ces distances interpersonnelles. Chaque culture tend à définir une distance interpersonnelle en situation de communication relativement précise. Un Romain ou un Madrilène s'approcheront davantage de vous pour discuter qu'un natif d'Helsinki, Londres ou Berlin. En Afrique, les bulles personnelles sont souvent si réduites que les interlocuteurs se touchent fréquemment.

En sus de la culture ethnico-sociale, il y a nos histoires personnelles, nos apprentissages, les habitudes de notre famille d'origine et nos peurs. Les dominants ont, en général, une distance personnelle plus importante que les dominés. Ils occupent davantage d'espace, un territoire plus grand. Cependant certains dominés fuient la relation et donc mettent de l'espace entre eux et vous. C'est ainsi que certains grands timides sont tout étonnés de voir que les autres les craignent ! Gardons-nous d'interprétations hâtives : tant

---

1. *La dimension cachée*, Points Seuil.

de facteurs s'entremêlent pour former nos distances proxé-
miques !

Vous pouvez, un peu comme Dorine, avoir appris à
vous coller à autrui pour être certain de ne pas être laissé de
côté. Vous pouvez garder vos distances comme Claude parce
que vous avez été battu et que vous avez appris que la proximité d'autrui ne vous apportait rien de bon. Chacun établit la
distance qui lui semble nécessaire de par son histoire entre
lui et les autres.

Si cette bulle n'est pas consciente, elle est pour beaucoup dans la sensation d'être bien ou mal avec une personne.
Si votre interlocuteur respecte la même distance proxémique
que vous, tout va bien, vous vous sentez en sécurité, à l'aise.
En revanche si vos bulles sont très différentes, toutes sortes
de pensées, impressions et sentiments plus ou moins désagréables affleurent.

Si votre distance de sécurité est grande et celle des
autres plus étroite, ils entreront dans votre bulle sans avoir
conscience de faire irruption dans votre intimité donc sans
précaution particulière. Selon votre histoire, cela peut
déclencher d'une vague gêne jusqu'à la panique la plus
totale. Bien sûr, en situation sociale, vous ne vous laisserez
pas envahir par la terreur, mais vous aurez recours à vos
ruses personnelles de protection : agressivité ou fermeture,
rire excessif, jambes actives, un verre, une cigarette… ou
toute autre activité visant à dériver votre anxiété. À chacun
ses habitudes. Quel masque mettez-vous lorsque vous êtes
en insécurité ?

A contrario, si votre bulle est très grande, vous ne vous
approchez pas suffisamment des autres dont les distances
minima sont plus courtes, ils ne se sentent pas en contact
avec vous, même si vous leur parlez. Ils peuvent en déduire
que vous cherchez à garder vos distances. Ce qui est vrai
d'une certaine façon. Mais au lieu de penser que vous gardez

vos distances parce que vous avez appris à le faire dans votre histoire, ils risquent de penser que vous préférez ne pas vous approcher d'eux par mépris, parce que vous êtes hautain, parce que vous ne désirez pas vraiment le contact... Eh oui, les jugements pleuvent dès que nous sommes face à une situation que nous ne maîtrisons pas. Vous ne comprendrez pas forcément pour quelle raison ces personnes ne semblent pas s'intéresser à vous. Et vous risquez d'en conclure que vous n'êtes pas intéressant. Ce qui, évidemment, ne sera pas pour vous aider à vous rapprocher des autres la fois suivante !

« Personne ne vient jamais vers moi. Quand je suis dans un groupe, les gens se parlent, mais ils ne m'adressent pas la parole, c'est comme si j'étais invisible » se désole Huguette. Lorsque nous en parlons ensuite dans le groupe, tous s'étonnent qu'Huguette dise désirer du contact. Ils étaient convaincus du contraire. La plupart l'ayant trouvée d'apparence sympathique, avaient eu envie de s'approcher d'elle, mais s'étaient vite repliés face à son attitude. Elle désirait être en contact, mais émettait inconsciemment des signaux que les autres interprétaient comme : « je ne veux pas être dérangée ». Lors de la pause, j'ai observé Huguette évoluer dans le groupe. Elle maintenait en permanence une distance entre elle et les autres, jusqu'à reculer dès qu'une personne s'approchait trop. Pas une fois, je ne l'ai vue tenter d'établir un contact oculaire. Difficile effectivement d'imaginer qu'elle recherchait le contact, et pourtant ! La bulle d'Huguette était vraiment trop grande et donnait de fausses informations aux autres. En fait la bulle d'Huguette donnait des informations sur son histoire. Elle avait appris à se tenir à bonne distance des gens pour ne pas être maltraitée. Cette distance était appropriée dans son enfance mais elle ne l'était plus à l'âge adulte. Là est le souci : sous la pression de l'environnement, des circonstances, nous avons élaboré des protections, des habitudes. Mais nous conservons ces habitudes sans prendre conscience qu'elles sont devenues obsolètes voire franchement inappropriées.

Carine a, elle, une bulle très fine. Elle était la plus petite et cherchait toujours à se coller à ses sœurs qui la rejetaient. Elle se collait pour ne pas être laissée seule. Elle a besoin de contacts rapprochés. Adulte, elle s'approche très près de ses interlocuteurs. Tant et si bien que nombre d'entre eux s'agacent et la fuient. Carine n'arrive pas à identifier la raison pour laquelle les gens la rejettent si souvent. En fait, ils se protègent de ses incursions dans leur bulle.

En allant trop vite les uns vers les autres, nous pouvons méconnaître les micro-signaux qui peuvent nous informer de la présence des frontières de nos interlocuteurs. Encore une autre raison pour prendre le temps de respirer en regardant l'autre avant de prendre la parole. Si vous passez la frontière de la bulle de l'autre sans dire un mot, son comportement se modifie, il est sur ses gardes. Verbaliser le salut lorsque nous arrivons au contact de la bulle de l'autre le rassure sur nos intentions. Mais, avant de parler, prenons le temps du pré-contact.

Le regard

Le contact visuel est le tout premier contact. Préliminaire au contact verbal, c'est le temps du pré-contact. Celui au cours duquel on se mesure, on se jauge. Le contact oculaire donne ou non la permission d'un contact verbal. Empreint de peur, le regard peut se faire juge. Mais calme, posé, il invite à la rencontre. Dans mon regard, je me montre et je pars à la découverte de l'autre. Les regards se sondent mutuellement. Les yeux s'attardent quelques instants dans le regard de l'autre pour « prendre sa température ». Est-il plein d'énergie joyeuse ou légèrement tendu, est-il affairé ou disponible, attentif ou préoccupé par quelque chose ? En fonction de ce que notre cerveau percevra, nous saurons si nous pouvons lancer un bonjour énergique et vivant, ou s'il vaut mieux se contenter d'un bonjour discret, compréhensif, accueillant.

Le regard permet d'ajuster ton de voix et volume pour prononcer un bonjour adapté aux circonstances. Les malvoyants auront souvent besoin d'entendre d'abord, même si certains se guident à la chaleur émise par le corps. Si nous avons la chance d'avoir à notre disposition cet outil merveilleux qu'est l'œil, il est dommage de ne pas s'en servir plus activement et consciemment.

Si la préposée est toute raidie derrière son guichet, évitez le grand bonjour claquant et rayonnant. Il s'agit de se caler sur l'énergie, l'humeur, la tonalité de l'autre. Vous n'avez pas besoin de lire et d'analyser les moindres replis du visage de votre interlocuteur. Inutile de prendre un livre d'interprétation des mimiques ou des gestes. Il vous suffit de prendre quelques instants pour vous mettre à l'écoute de lui, d'elle. Vous êtes équipé pour cela.

Dans votre cerveau, vos neurones miroir sont au travail. Les neurones miroir ont été découverts en 1990 par un neurophysiologiste italien, Giacomo Rizzolatti, dans le cortex précentral du macaque. Depuis, les techniques d'imagerie cérébrale ont permis d'identifier dans le cerveau humain ce même système de neurones miroir. Ces neurones ont cette particularité de s'activer, que nous effectuions une action spécifique ou que nous observions une autre personne en train d'exécuter cette même action. Ce sont ces neurones qui nous permettent de comprendre les actions des autres, et de les imiter. Ils sont à la base des fonctions d'empathie,

d'imitation et de compréhension d'autrui. Ils nous permettent d'identifier les causes des gestes mais aussi des
mimiques et micro-mouvements du corps. Ils sont un des
outils fondamentaux de la synchronie, cette faculté que nous
avons de nous synchroniser les uns les autres. Lorsque deux
humains sont en relation, ils vont tendre à faire le même type
de gestes, à caler leur voix sur le même volume, jusqu'à
leurs rythmes cérébraux qui vont se synchroniser. Ils sont
« sur la même longueur d'onde ».

Parce que vous avez plongé vos yeux dans ceux de
l'autre, vous prenez donc automatiquement, naturellement,
le ton de voix qui convient. Cette synchronisation est automatique, nous n'avons pas besoin d'y penser. Il suffit de lui
donner un peu d'espace, tant en termes de temps que de disponibilité intérieure. En effet, trop préoccupé de soi-même,
on reste centré sur soi et on prononce son bonjour en fonction de sa propre température intérieure.

Le regard permet aussi de vérifier la disponibilité de
l'autre, tester son ouverture et éviter d'essuyer un refus. Tout
séducteur maîtrise l'art de la rencontre dans le regard. Malheureusement, beaucoup de gens n'osent pas regarder dans
les yeux. Par timidité, par interdit culturel, par ignorance, par
crainte ou autre pudeur…

Irène cherche systématiquement dans le regard de
l'autre, non pas qui il est, mais ce qu'il pense d'elle. Au lieu
de regarder activement, elle est passive. La question : « Que
va-t-il penser de moi ? » la paralyse, elle se regarde dans le
regard de l'autre. Nous avons tellement appris à obéir. Nous
avons été entraînés à la passivité, et notre société française
est tellement pétrie de jugements que nous sommes nombreux à craindre ainsi le regard des autres sur nous. Dans une
société qui met moins l'accent sur le jugement des personnes, comme aux États-Unis par exemple, le regard de

l'autre n'a pas cette importance et un Américain qui vous dit bonjour n'a pas cette réserve.

Chaque ethnie, chaque village, mais aussi chaque famille a sa propre culture. Dans certaines familles, baisser les yeux devant les parents est de bon ton et nommé « respect ». Du coup, ces personnes devenues adultes s'abstiennent de plonger leurs yeux dans les vôtres, elles sont convaincues de vous marquer ainsi leur respect. Elles n'imaginent pas que vous pourriez interpréter ce signal tout autrement, penser que c'est un signe de fausseté, de crainte, de soumission, voire de mépris ! Vous comprendrez que cela puisse occasionner quelques malentendus. Il est vrai que le contact oculaire peut être interprété négativement dans certaines cultures et pris pour de l'effronterie, voire de l'insolence. Il fut un temps où oser lever les yeux sur l'Empereur de Chine vous coûtait la vie. Dans la société actuelle, qui vise une égalité de droit entre les humains, osez le regard. Et quand vous hésitez, souvenez-vous que vous êtes égal aux autres.

Après le regard, la voix

Si vous avez pris le temps de respirer, de prendre conscience de vous-même et de l'autre, votre voix aura naturellement le bon volume, la bonne puissance, sera posée à la bonne distance et prendra la juste inflexion. Il est naturel d'adapter le volume à la distance entre les deux personnes. Nous parlons plus fort quand la personne est loin, moins fort quand elle est tout près et ce tout à fait spontanément, sans y penser. Notre cerveau ajuste le bonjour à la situation spécifique. On ne se dit pas « il parle fort, je dois donc augmenter le volume, mettre davantage d'aigus pour paraître gai, etc. » mais nos neurones intègrent tous ces paramètres.

Notre cerveau fait tout cela très bien et automatiquement, pour autant qu'il ne soit pas contraint par un autre impératif plus personnel, comme paraître, prendre le pouvoir, centrer l'attention de l'auditeur sur soi.

Vous attendez votre rendez-vous dans un café. Il entre : BONJOUR ! Le salut envahit l'espace. Tout le monde se retourne. Vous êtes en droit de vous demander à l'écoute de ce volume forcé si ce salut vous est bien adressé. Votre cerveau analyse rapidement la distance qui vous sépare de lui. Non, il n'a pas besoin de parler si fort pour que vous l'entendiez : il a juste besoin d'un public qu'il convie à votre rencontre. N'en déduisez pas qu'il soit fier de montrer à tous la belle conquête qu'il a faite en votre personne. Il est probable que vous n'existiez pas vraiment à cet instant-là. Ceux-là parlent à la cantonade, ils sont en représentation, ils se font voir, se font entendre même si vous êtes seuls tous les deux.

Ne voyez toutefois pas systématiquement égocentrisme et prise de pouvoir dans un bonjour sonore, car une personne tout simplement joyeuse peut aussi en lancer dans un tout autre but. La joie est une émotion rayonnante, qui incite au partage. Faire du bruit, s'exclamer, parler fort en est alors une juste expression.

Comment faire la différence ? Observez votre réaction. Vous êtes incité à regarder la personne qui entre ou vous vous sentez tout à coup inondé de joie ? Vous avez l'impression d'être appelé ou de recevoir ? L'énergie dégagée est-elle centripète ou centrifuge ? Le salut indique qui est important. Observez : qui est mis en avant ? Vers qui se tournent les regards, vers lui ou vers vous ? Un salut trop fort à la cantonade dit : « c'est moi qui suis important ».

Bien sûr, il y a des bonjours lancés ainsi qui ne sont ni joie particulière ni théâtralisation. Lorsque vous entrez dans une boutique, votre bonjour dit « je suis là, voyez, je ne suis

pas un voleur, je vous signale ma présence ». Mais alors il
s'adresse vraiment à tous, non pas à une seule personne.
Même en privé, sans public, certaines personnes, trop
centrées sur elles-mêmes, ne s'ajustent pas. Elles vous
accueillent invariablement d'un ton enjoué. Elles n'ont pas
« calculé » que vous êtes inquiet, stressé, en deuil ou
anxieux parce qu'un de vos enfants vient d'entrer à l'hôpital.
Comme si elles ne vous voyaient pas. Si certaines personnes n'ont tout simplement pas le câblage nécessaire à
l'identification des émotions sur le visage d'autrui dans leur
cerveau frontal, la plupart sont tout simplement terrifiées par
la rencontre ! Se centrer ainsi sur elles-mêmes et afficher un
visage et une voix enjouée dissimule leur peur, peur irration-
nelle bien sûr et issue de l'enfance le plus souvent. Ces individus ont appris que l'intimité était dangereuse, ils ont si
souvent été blessés et rejetés qu'ils ont mis au point une
approche stéréotypée : « Je fais plaisir. » Leur salut semble
dire « Je vais bien, tout va bien ». En réalité, il dit tout à la
fois « Regarde comme je suis enjoué, gentil et d'agréable
compagnie, j'ai besoin de ton regard, accepte-moi s'il te
plaît ». L'ennui bien sûr est que cela ne marche pas. Ce
masque qui tente de dissimuler la douleur, la rage, la terreur,
tient grâce à une tension qui est perçue même si elle n'est
pas toujours identifiée consciemment par les auditeurs qui se
sentent mal et donc ont tendance à s'écarter. Ce qui, bien
entendu, augmente la tension captatrice de la première qui en
rajoute sur son masque enjoué pour vous séduire… Ce qui
vous fait fuir… Elle en remet…

Le drame avec ces personnes est que moins ça marche,
plus elles le font. Enfin, c'est notre drame à tous. Parce que
si nous ne le faisions pas, cela fait belle lurette que nous
n'aurions plus de difficultés relationnelles. Dans nos métiers,
en général, nous adoptons une attitude plus juste. Si un
comportement, un geste, une phrase n'atteint pas son

objectif, nous le modifions. Nous nous adaptons en permanence aux situations. Il semble que dans nos vies personnelles et surtout dès lors qu'il s'agit de communiquer, nous ne sachions pas nous adapter. Moins une attitude marche, plus nous la réitérons. C'est ainsi que nous pouvons dire « ça fait vingt fois que je lui dis... » sans prendre conscience que déjà au bout de trois fois nous aurions pu changer notre approche. Mais non. Nous avons fait vingt fois la même chose. Et si ça ne marche pas, nous estimons que c'est de la faute de l'autre, qui « n'entend pas ». Le fait que nous lui ayons probablement parlé dans une langue qu'il ne comprend pas ne nous effleure pas. La Programmation Neuro Linguistique[1] a bien insisté sur ce fait, si nous voulons bien communiquer, nous avons intérêt à considérer que « la responsabilité est du côté de l'émetteur ». Ce qui signifie pour chacun : « La responsabilité est de *mon* côté. » Et pas question d'argumenter sur le fait que l'autre a été le premier émetteur... Nous sommes responsables de notre communication. L'avantage de ce choix – car ce n'est pas une réalité, mais un choix – c'est que si elle est sous notre responsabilité, nous avons davantage de pouvoir sur la situation.

J'ai du pouvoir sur la situation, c'est-à-dire que je peux faire en sorte d'être entendu, je peux influer sur le ton de la conversation, je peux mettre l'autre à l'aise... Et hélas, je peux aussi bien sûr mettre l'autre mal à l'aise. Au lieu d'utiliser mon pouvoir sur la situation pour améliorer la communication, je peux prendre le pouvoir sur l'autre pour faire

---

1. La Programmation Neuro-Linguistique est née dans les années 70 aux États-Unis. Développée par John Grinder et Richard Bandler qui se sont posé la question : au-delà des théories qu'ils professent, que font exactement les grands communicateurs ? Comment font-ils pour... (parler, décider, écouter...) ? La PNL décode les stratégies des gens qui réussissent, les modélise pour qu'elles deviennent transférables.

taire mes craintes. Votre bonjour est forcément influent, il vous donne du pouvoir sur la situation, pas forcément sur l'autre personne. Mais nombre de gens, se vivant comme trop impuissants dans leur existence, vont prendre le pouvoir sur les autres plutôt que sur les situations.

Il y a différentes manières de prendre le pouvoir dans un simple bonjour. On peut prendre le pouvoir à partir d'une position de victime : le bonjour dépressif qui dit « Prenez-moi en charge, je suis si malheureux » ; à partir d'une position persécutrice qui dit « Vous êtes vraiment nul et vous avez intérêt à m'obéir » ; ou à partir d'une position de sauveur « Comment vas-tu ma pauvre chérie ? » qui loin d'être de l'accueil est une manipulation visant à faire se sentir victime l'interlocuteur de manière à pouvoir apparaître comme le sauveur.

Le volume de votre voix fait aussi pression sur vos interlocuteurs. Parce que tous les humains spontanément se synchronisent les uns sur les autres. Les timides obligent les autres à tendre l'oreille, à se pencher vers eux et à adoucir leur voix. En parlant doucement, timidement, ils prennent en fait le contrôle sur l'autre qui doit s'adapter. Bien sûr, chacun conserve sa liberté, et lorsqu'un besoin ou une émotion occupe la personne, le ton et volume de son bonjour refléteront davantage son état intérieur. Mais en l'absence d'un besoin impérieux ou d'une émotion, votre partenaire vous suivra automatiquement. À moins qu'il ne le puisse pas. La relation va alors s'en ressentir. C'est ainsi que parfois on incommode une personne dès les premiers mots, soit parce qu'on la contraint trop hors de ses habitudes verbales, soit parce qu'on l'oblige à diminuer le volume de sa voix, ce qui, si elle est dans le besoin de séduire, peut l'humilier. Si la personne répond en gardant une voix bien plus forte que la vôtre, elle signifie ainsi qu'elle n'est pas prête à engager une conversation réelle avec vous.

La puissance de la voix indique aussi votre statut social. Dans le bonjour, on entend la soumission des classes sociales infériorisées, la supériorité des classes dominantes, le dédain de l'intellectuel... Observez-vous quelque temps. Dites-vous bonjour de la même façon au laveur de carreau, à la technicienne de surface ou au directeur de la banque ? Être simplement humain, parler à chacun de la même façon, d'humain à humain et non de masque à masque n'est pas si facile. Nous sommes pétris d'automatismes de soumission et de domination, empêtrés dans nos peurs et nos défenses. Mettre en pratique dans votre bonjour la première phrase de notre convention des droits de l'homme : « Tous les hommes naissent égaux en dignité et en droit » vous fera grandir dans l'estime et dans l'affection de votre entourage.

L'objectif des salutations est donc de mettre l'autre à l'aise, de le rassurer sur vos intentions. Un pas de plus dans ce sens, la poignée de main vous permettra de montrer à votre vis-à-vis que vous n'êtes pas armés [1]. Il y lira aussi bien d'autres choses. Concentrons-nous sur la poignée de main.

Votre poignée de mains parle de vous

Adolescente, j'avais très souvent les mains moites. J'en avais honte. Je ne savais pas que c'était un symptôme d'angoisse et une manifestation de sécrétion d'hormones bien naturelle à mon âge. J'étais très timide. Aujourd'hui, on dirait que j'étais atteinte de phobie sociale. Je me sentais différente depuis toujours, ou plus exactement depuis l'école maternelle, depuis mes débuts difficiles avec les enfants de

---

1. Là est l'origine de la poignée de mains. En serrant la main, on vérifie que l'interlocuteur ne dissimule pas une arme dans son poignet.

mon âge. Aujourd'hui, après avoir guéri ma timidité et passé des années à former des gens à l'assertivité, l'affirmation de soi et la prise de parole en public, je sais que pour qu'elles sèchent, il suffit de parler avec les mains ou d'au moins les ouvrir, pour utiliser l'énergie mobilisée.

Dans une expérience, deux groupes regardent un dessin animé. Le premier groupe raconte ensuite l'histoire, mains libres. L'autre doit immobiliser ses mains sous ses fesses en racontant. Un peu plus tard on demande aux deux groupes de se remémorer de nouveau le contenu. Ceux qui avaient pu bouger les mains avaient mémorisé bien davantage. Plus vous parlez avec les mains, mieux vous vous souvenez et mieux vous maîtrisez les concepts. En fait notre intelligence est profondément ancrée dans notre corps.

Parler avec les mains, ne vous aide pas seulement vous, il favorise une meilleure compréhension et une meilleure assimilation par votre public. D'une part, parce que par le biais des neurones miroir, les gens ressentent ce que vous exprimez et d'autre part parce que vos gestes ponctuent, soulignent certains points, organisent le discours.

Mais à l'époque, je ne le savais pas et je faisais ce qu'il ne fallait pas faire, je cachais mes mains ! Elles étaient donc de plus en plus moites. J'ai retrouvé une « copine d'avant [1] » de l'école primaire. Comme nous échangions nos souvenirs, elle m'a confié qu'à l'époque, je l'impressionnais. Je semblais savoir toutes sortes de choses, je parlais bien. Elle ne savait pas comment m'aborder. Elle avait peur de ne pas paraître intéressante à mes yeux, de ne pas savoir que me raconter. Du coup, moins à l'aise avec moi qu'avec les autres, bien sûr, elle s'approchait peu de moi, ce que j'interprétais pour ma part comme du rejet.

---

1. Retrouvée par le site www.copainsdavant.linternaute.com

Si elle est la seule à me l'avoir dit, elle n'est certainement pas la seule à l'avoir pensé. Je croyais que les autres ne s'intéressaient pas à moi, je n'ai jamais imaginé qu'ils pouvaient se sentir mal à l'aise à mon contact. De mon côté, je ne comprenais pas bien le plaisir que les petites filles pouvaient éprouver à faire la ronde et je préférais parler. Je me sentais différente, donc inférieure. Sur le conseil de l'institutrice, qui me voyait m'ennuyer voire dormir en classe tout en ayant de bonnes notes, mes parents m'ont changée d'école. Le trop grand décalage social et intellectuel entre moi et les autres enfants était mis en avant. Le problème réel n'était pas ce décalage, mais l'absence de gestion de cette mixité sociale tant au niveau relationnel qu'au niveau pédagogique. Des groupes de parole, un apprentissage de la relation à l'autre et une pédagogie différente, type Freinet, permettant à chacun de progresser à son rythme, m'auraient permis de rester avec ces enfants et de m'intégrer. Mais cette institutrice n'avait pas appris ces réponses et n'avait pour seule solution que de proposer un changement d'établissement.

Dans ma nouvelle école, donc, j'ai trouvé des enfants qui me ressemblaient davantage et avec lesquels je pouvais discuter, mais j'ai conservé ma timidité. Changer d'environnement n'est pas suffisant pour se libérer de croyances. J'ai donc emporté avec moi le sentiment d'être mise à l'écart et la conviction d'être moins bien que les autres. La moiteur de mes mains était dans la continuité de ces sentiments de honte et d'inadéquation.

Les mains ne sont pas seulement sèches ou humides. Elles sont chaudes ou froides, fermes ou molles, actives ou passives. En tant que psychothérapeute, je suis attentive à l'évolution de la poignée de main de mes clients. Elle suit leur évolution émotionnelle et s'affirme au fur et à mesure de leur prise de confiance en eux et en la vie.

Maud n'avait aucune conscience d'offrir une poignée de main tellement molle et sans consistance que ses interlocuteurs pensaient que c'était ce qu'elle était : une femme molle et sans consistance. Il est assez simple de serrer la main différemment et cela fait toute la différence pour vos interlocuteurs. Lorsqu'elle a été attentive à serrer les mains un peu plus fermement, Maud a noté combien les gens ont commencé à lui parler légèrement plus fort, à se montrer plus chaleureux, elle s'est sentie davantage respectée, appréciée. Elle avait fait sept années de psychanalyse sans progresser dans ses relations sociales. Personne ne lui avait jamais dit que la mollesse de sa poignée de mains donnait aux autres des informations erronées sur sa personnalité. Certes elle avait appris à ne pas s'affirmer dans ses mains comme dans le reste de sa vie au cours de sa petite enfance, mais le comprendre ne suffisait pas. Ce changement comportemental, source d'expériences très positives avec les autres, lui a changé la vie.

Une recherche sur la fermeté des poignées de main et leur impact sur autrui a été menée aux États-Unis à la William Chaplin University of Alabama[1]. Après avoir entraîné quatre « estimateurs de poignées de mains », les expérimentateurs leur ont imposé des séances intensives de poignées de mains avec des étudiants. Ces derniers croyaient qu'ils venaient passer des tests de personnalité. Quand on leur présentait les quatre expérimentateurs séparément, ils les saluaient naturellement en leur serrant la main. Les estimateurs évaluaient alors cette poignée de main en notant l'extraversion, la conscience tournée vers l'autre, l'agréabilité, la stabilité émotionnelle, l'ouverture, l'expression émotionnelle et globalement l'effet positif. De cette expérience, les estimateurs conclurent comme on pouvait s'y attendre

_____

1. Revue *Nature*, 10 juillet 2000.

que les hommes avaient des poignées de main plus fermes
que les femmes. Mais une main ferme de femme dit-elle la
même chose qu'une main ferme d'homme ? Eh bien non.
Les femmes évaluées par les tests de personnalité comme
libres, intellectuelles et ouvertes aux nouvelles expériences,
avaient des poignées de main plus fermes et ont fait une
meilleure impression sur les estimateurs que les femmes qui
étaient « moins ouvertes ». Cependant, l'opposé était vrai
pour les hommes ! Les moins ouverts avaient une poignée
plus ferme. Les hommes ont tendance à toucher la main pour
asseoir leur autorité sur autrui, notamment sur les femmes.
Les femmes, elles, sont moins physiques. Leur poignée de
main ferme n'a pas pour objectif de prendre le pouvoir sur
autrui. Elles sont seulement présentes à elles-mêmes. Il est
courant de croire que les femmes qui s'affirment avec
confiance « comme un homme » font une impression négative sur ces derniers. Les résultats de cette étude montrent
clairement que ce n'est pas le cas, au contraire. Vous voulez
une promotion ? Serrez les mains d'une main ferme si vous
êtes une femme. Mais pas trop, si vous êtes un homme.
    La fermeté de la poignée de main a donc son impor-
tance, sa direction aussi. Il vous arrive de sentir dès le bonjour que « ça ne passe pas » entre vous. Votre cerveau a
peut-être observé la main qui vient de vous être tendue. Elle
a d'abord monté puis est redescendue serrer la vôtre ? Vous
vous êtes senti accueilli avec chaleur. Sa main venue du bas
est juste montée à hauteur de la vôtre ? L'accueil est plus
mitigé. Vous n'êtes pas tout à fait le bienvenu. Remarquez
aussi la posture de la tête : est-elle légèrement penchée à
droite ou à gauche ? Si elle est en miroir de la vôtre, le
contact y est !
    Il y a aussi les mains qui ne vous saisissent que le bout
des doigts. On reste avec une sensation d'inachèvement. Il
manque quelque chose. On ne se sent pas considéré

pleinement. C'est un contact automatique, superficiel, un bonjour de politesse. L'engagement de la main dit aussi l'engagement dans la relation. Alors, lorsque vous n'avez attrapé que les phalanges d'une personne, soyez attentif à la suite de la communication. Votre interlocuteur n'a senti la pression de votre main que sur ses doigts, il risque d'en déduire que vous êtes peu investi ou de se sentir lui peu investi[1]. Si ce n'est pas le message que vous désirez lui transmettre, il vous reste à corriger cette impression dans l'intensité de votre communication.

Dans un de ses sketches, Coluche raconte la poignée de main au kilomètre de pellicule. Si son invité est très important, le Président de la République fait durer la poignée de mains pour que tous les photographes et cameramen puissent avoir une belle prise de vue. Une poignée de mains très brève ne signifie pas forcément que vous n'êtes pas important aux yeux de la personne, ce peut être le style de la personne, rapide, impliqué, et surtout fonction de l'objectif de la rencontre. La personne dit ainsi qu'elle est plus centrée sur la tâche que sur la relation. Une longue poignée de mains permet de transmettre de la chaleur, de la tendresse, de la complicité... Elle est agréable et nourrissante quand l'amitié est partagée, elle est inconfortable quand elle manifeste un besoin affectif, une attente, que vous ne partagez pas.

Notre manière de serrer la main s'est construite au fur et à mesure des années, et comme il est rare que les autres nous fassent des remarques, nous pouvons conserver une poignée de main totalement inappropriée sans en avoir conscience. Lorsqu'un client me serre la main à me la broyer ou au contraire abandonne une main molle dans la mienne, je l'informe de ce que je ressens et nous travaillons sa poignée

---

1. Nos gestes influent sur nos pensées autant que nos pensées influent sur nos gestes. Tout est boucle rétroactive.

de main. S'il le fait avec moi, il est probable qu'il le fasse avec d'autres, sans imaginer l'impact que cela a sur ses interlocuteurs.

Changer son comportement vis-à-vis des autres modifie automatiquement leurs réactions à notre égard et peut grandement nous aider à modifier nos croyances. N'oublions jamais que si les autres nous rejettent ou ne font pas attention à nous de manière répétée, il est vraisemblable que nous soyons inconsciemment complices. Faire remonter cela à la conscience peut nous permettre de rectifier le tir. Nous n'avons peut-être pas créé la situation, mais si nous ne prenons pas conscience de notre part de responsabilité dans son maintien, nous l'entretenons.

« On se fait la bise ? »

Une, deux, trois, quatre ? « Moi, c'est deux bises » ou « ici, c'est trois bises ». Le nombre de bises que nous posons sur la joue d'autrui est identitaire et culturel. Une comme en Belgique, dans le Finistère et les Deux-Sèvres, qui laisse à la Parisienne d'origine que je suis la seconde joue frustrée. Une bise sur chaque joue dans la région parisienne et d'ailleurs une bonne partie de la France. Trois bises dans le Cantal, les Hautes Alpes, l'Héraut, et même quatre pour les gourmands de la Vendée, la Loire-Atlantique à la Meuse... Et en Corse ? Cinq ! Question de zone donc, bien que dans chaque contrée, on puisse trouver un peu de tout. En fait, il règne beaucoup de liberté dans certaines régions. Comme dans la Vienne, par exemple, où il ne se dégage aucune majorité, chacun en fait à sa tête. Vous rencontrez autant de personnes qui vous font une, deux ou trois bises. En revanche, en Isère ou dans le département de la Loire 92 % des natifs ne font qu'une bise ! Quelle uniformité. Il n'y a pas encore d'analyse de ces différences à ma connaissance. Nous en sommes au stade des statistiques[1].

Les bises sont tellement rituelles qu'elles ont souvent perdu leur sens. On s'embrasse par automatisme. Souvent les bises atterrissent dans le vide. Elles sont plus ou moins sonores, elle sont rarement vraiment des baisers.

Cling ! Choc de lunettes ! Habitude de soumission oblige, les femmes ont plus tendance que les hommes à ôter leurs lunettes pour faire la bise. Il n'y a pas que les binoclards qui se cognent. Il arrive que chacun se penche du même côté, et que l'on se trouve face à la bouche de l'autre. Gêne... Rires... La majorité des droitiers partent vers la droite et posent la première bise sur la joue gauche de l'autre. Mais là aussi, il semble que la région influe. « Ici, ils embrassent à l'envers » avait constaté ma fille peu après notre déménagement vers le Sud.

Tout cela n'est qu'affaire de rituel. Au Japon mieux vaut éviter tout contact physique. Contentez-vous d'une courbette à distance. Je me souviens du regard paniqué et de la gêne de cette jeune fille japonaise que je retrouvai sur le parvis d'un temple. Nous nous étions rencontrées quelques jours plus tôt et nous avions beaucoup sympathisé. La voyant sur ce parvis, je m'étais précipitée vers elle avec la fougue de mes dix-huit ans et l'avais enlacée avec chaleur. Je ne savais pas encore dire bonjour à l'époque ! Elle était pétrifiée. Plus de présence dans mon regard et un peu de respiration consciente m'auraient évité de la brusquer ainsi. Aux États-Unis, on ne se frotte pas les joues, mais on colle/ accole les poitrines pour un bon *hug*.

---

1. Vous pouvez consulter la carte et voter sur http://combiendebises.free.fr

Donner l'accolade

Le *hug* consiste à se prendre franchement dans les bras. C'est un corps à corps, plus ou moins chaleureux. Comme il y a les vraies bises et les petites bises posées sans y penser, il y a le hug chaleureux, le hug fraternel et le hug superficiel, rituel, sans chaleur.

Mais ce hug ne serait-il pas notre bonne vieille accolade ? Hug, mot intraduisible qui devrait être traduit par embrasser, em-bras-ser, prendre dans les bras. On dit souvent je t'embrasse, alors qu'on se contente d'un baiser furtif effleurant la joue. Embrasser, c'est prendre dans les bras, serrer contre son cœur. Mieux, prendre le temps de sentir battre le cœur de l'autre contre le sien.

À l'origine, l'accolade était une cérémonie au cours de laquelle un sujet était ordonné chevalier. Grégoire de Tours écrit que les rois de France baisaient les chevaliers à la joue gauche, en prononçant ces paroles « Au nom du Père et du Fils et du Saint-Esprit », puis les frappaient légèrement du plat de l'épée sur l'épaule (le col, d'où accolade).

De nos jours une franche accolade signifie que l'on se colle l'un à l'autre, poitrine contre poitrine, pour une étreinte fraternelle.

« Trois hugs par jour tiennent le médecin au loin » disent les Américains. Ça ne remplace pas les pommes [1], mais c'est sûrement vrai.

Depuis quelques années un mouvement original se développe, *free hugs* ou « câlins gratuits [2] ». Il semble que le mouvement soit parti d'Atlanta aux États-Unis. Des hommes et des femmes arborent des pancartes *free hugs* et ouvrent les

1. Allusion au dicton français « Trois pommes par jour tiennent le docteur éloigné. »
2. http://www.calins-gratuits.com/

bras aux passants. Le concept, diffusé par YouTube, a sus-
cité de nombreuses initiatives dans le monde. Jusqu'en
Chine où la tradition de ne pas se toucher est pourtant
vivace. États-Unis, Brésil, Italie, France ou Allemagne, il
s'agit de partager quelques secondes de chaleur humaine.
Certains trouvent cela sympa, agréable ou rigolo, d'autres
sont très émus. Jamais ils n'ont été pris ainsi dans les bras.
Des personnes âgées pleurent ; dans leur vie quotidienne,
personne ne les touche plus. C'est si bon d'être étreint !

On sait aujourd'hui que le bien-être éprouvé n'est pas
seulement « psychologique ». Le contact physique réduit le
rythme cardiaque, détend. Être touché déclenche la sécrétion d'ocytocine, hormone anti-stress, anti-douleur, tellement merveilleuse qu'on la nomme aussi « hormone du
bonheur ». Depuis qu'elle a été identifiée, les scientifiques
découvrent tout ce qu'elle fait pour nous : elle réduit le
rythme cardiaque, calme la réaction de stress, apaise la douleur, augmente les défenses de l'organisme et déclenche une
sensation de bien-être. Que du bon !

Le contact physique est nécessaire à la croissance, c'est
un besoin essentiel. Dans les unités dites Kangourou, on
place les grands prématurés nus sur la poitrine de leurs
parents. Il a été démontré que ce corps à corps, non seulement pouvait remplacer la couveuse, mais était bien plus
efficace [1]. Les prématurés présentent à âge égal 47 % de
poids en plus quand ils sont massés [2]. Le contact sécurise et
permet d'introjecter la sécurité intérieure.

Le contact physique, les caresses, maintiennent le lien.
Quand un homme et une femme s'embrassent, se caressent,
font l'amour ou même bavardent tranquillement, ils libèrent

---

1. On est en droit de se poser la question de la raison pour laquelle la pratique n'est pas plus généralisée dans les maternités.
2. Arte : contact/massage, 19 heures le 27 juillet 1996.

de l'ocytocine, l'hormone de l'attachement. Les couples qui se touchent durent davantage.

Pourtant, même si cela fait du bien, même si tous les humains en ont profondément besoin, tout le monde n'aime pas être touché. Certains craignent justement cette décharge d'ocytocine qui les rend « mous ». Ils ont travaillé à monter des remparts contre leurs émotions. Ils se sont construit une carapace solide pour ne pas sentir le manque. Ils se sont habitués à leurs tensions au point qu'ils les identifient comme faisant partie d'eux. L'ocytocine menace clairement ce bel équilibre. Elle relâche les tensions, donc risque de libérer les émotions retenues. C'est pour cela que les personnes pleurent quand elles sont prises dans les bras. Leur système nerveux parasympathique déclenche les larmes, elles se relâchent enfin ! Mais avant d'oser pleurer, il leur aura fallu se battre contre cette émergence de « sensibilité ». Car il y a un puissant interdit à franchir.

« Je ne suis pas bisou » dit Laurence. Si elle n'aime ni les baisers ni les câlins, c'est qu'avec le contact affleurent toutes sortes d'émotions anciennes. Même avec ses enfants, Laurence n'est pas « câlin ». Elle a eu des parents très froids et eux-mêmes peu câlins. Elle a très peu eu l'expérience d'être prise dans les bras. Le contact physique intime lui fait peur. Quand on la prend dans les bras, elle sent monter en elle un sentiment d'insécurité, une boule dans le ventre, elle se tend de tout son corps pour éviter de sentir. Le contact physique est fort menaçant pour elle. « Si je sens du plaisir à recevoir des câlins, cela signifie que c'est bon, or, si un câlin est bon pour moi, pourquoi mes parents ne m'en ont-ils pas donné ? » Mieux vaut penser que les câlins ne sont pas bons pour garder une image positive des parents. Si on peut facilement remettre en cause un parent aimant, dénoncer ses erreurs et lui exprimer de la colère pour des injustices ou des frustrations, il est bien plus difficile, paradoxalement, de remettre en cause celui qui n'a pas su nous donner ce dont nous avions besoin. L'idéalisation du parent mise en place par le psychisme pour ne pas avoir ni trop mal ni trop peur empêche le contact avec la vérité.

De plus, l'enfant carencé a tendance à prendre en charge les souffrances de ses parents. Laurence a bien perçu, quoique confusément, que si sa maman ne lui avait pas donné de tendresse, c'est qu'elle-même n'en avait pas reçu. Elle n'osait pas demander cette tendresse à sa maman, de crainte de réveiller les douleurs anciennes qu'elle suspectait. Derrière la tension, la froideur et/ou la rigidité de ses parents, elle sentait leur insécurité. Et comme nous tous, elle répugnait à voir ses parents insécures. Elle a alors fait semblant de croire, comme eux, à leur solidité. Elle a ravalé son besoin et ses larmes. Et monté un mur entre elle et les autres. Quand un individu, fût-il son mari, menace de faire écrouler ce mur, elle sent son corps osciller entre hurlement et paralysie. Tentez de prendre dans vos bras un petit enfant carencé de contact, il va crier. Votre chaleur est menaçante pour lui. Elle ouvre sur trop de souffrances. Le contact déclenche de la douleur parce qu'il relâche les tensions qui maintenaient refoulées la douleur, la terreur, la rage. Vous le prenez dans les bras, toutes ces émotions remontent pêle-mêle à la surface. Comme ultime tentative pour se défendre contre ces affects, l'enfant peut se montrer violent. C'est souvent très déstabilisant pour les soignants débutants dans les orphelinats de voir leurs élans de tendresse refusés avec rage, voire violence par les enfants.

À 70 ou 80 ans, votre maman n'osera peut-être pas hurler quand vous la prendrez dans les bras, mais l'intensité du cri sera là, à l'intérieur d'elle. Sa rigidité sera à la mesure du besoin de réprimer douleur, terreur et rage.

Au vu de l'intensité de ce qui se déclenche lorsqu'on prend autrui dans les bras, mieux vaut lui en demander

l'autorisation. Le « Puis-je vous embrasser ? » a cette fonction de donner à la personne dont on sent les résistances les
quelques secondes qui lui sont nécessaires pour se préparer.
Elle a alors le temps de durcir les muscles du visage avant de
vous présenter sa joue. Elle a eu besoin de mettre un rem-
part à l'intérieur d'elle pour ne pas laisser pénétrer trop profondément la vague de chaleur et de plaisir. La science ne
nous laisse plus raconter que « prendre un bébé dans les bras
est nocif ». Nous savons au contraire combien le toucher est
un facteur de santé, et ce, à tous les âges. Si certains en ont
encore un peu peur ou beaucoup peur... aidons-les à se
dégager de ces craintes. Osons le hug avec le sourire !

D'autant que les expérimentations des psychologues
sociaux ont montré que toucher le bras de quelqu'un en lui
faisant une demande augmente notablement vos chances
d'obtenir son accord !

Le langage du corps

Il y a toutes sortes de livres donnant la clé des gestes.
Qu'est-ce que cela signifie lorsque ma main droite se pose
sur la gauche ? Et quand je mets ma jambe comme ci ? Il est
fascinant de remarquer, qu'effectivement, ces livres pourraient avoir raison. Que lorsque la main droite est sur la
gauche, cela signifie que nous sommes prêt à l'action, tandis
que si la main gauche couvre la droite, nous sommes plutôt
dans l'écoute et/ou dans la protection de soi. Mais si nous
nous observons un certain temps, nous allons remarquer que
tantôt nous mettons la gauche sur la droite, tantôt l'inverse.
La position de nos mains s'adapte aux circonstances. Impossible d'en déduire quoi que ce soit sur un caractère plus ou
moins actif ou renfermé.

Nos gestes trahissent nos pensées et nos émotions. Nos tics, se tripoter les cheveux, se toucher le nez, les oreilles, passer sa main sur la bouche, nous servent à calmer nos angoisses, mais aussi ont forcément un impact sur autrui qui nous regarde.

L'institut d'éthologie de l'Université de Vienne [1] a montré que les leaders occupent davantage d'espace autour d'eux en étalant les jambes et en faisant d'amples mouvements des bras. De là à interpréter qu'une personne qui fait de grands mouvements est un dominant dans la hiérarchie, il n'y a qu'un pas, que tout le monde franchit allègrement parce que c'est inconscient. Osez donc faire de grands gestes, non seulement la moiteur de vos mains disparaîtra, mais vous serez écouté et respecté !

Être bien dans son corps aide à se faire des amis. Les autres se sentent bien avec vous parce que vous bougez comme eux. Votre corps transmet, sans mots, que vous êtes content ou triste, bien ou mal, réservé ou engagé, confiant ou nerveux, tendre ou sec, intéressé ou non... Il dit votre attention à l'autre ou votre mépris. Vous parlez avec votre corps, autant le faire consciemment.

Aux États-Unis, des chercheurs [2] ont réalisé une enquête dans des restaurants. Ils ont demandé à environ 30 serveurs et serveuses d'adopter soit une posture penchée vers le client lors de la prise de commande, soit de se tenir droit. Pour le reste, ils devaient agir comme d'habitude. Près de 10 000 clients ont été observés. Les chercheurs ont calculé le taux moyen de pourboires déposés en fonction de la posture adoptée par les serveurs et serveuses. Lorsque le serveur se penche pour prendre la commande, il voit ses

---

1. Cité par la revue *Cerveau et Psycho*, n° 23, p. 26.
2. Expérience de Davis *et Al.* 1998, citée par *Cerveau et Psycho*, n° 23, p. 26.

revenus augmenter de près de 15 %. Ce qui n'est pas négligeable. En effet aux États-Unis les pourboires des serveurs et serveuses représentent 70 % de leurs salaires.

Votre corps, hors de votre conscience, induit les réactions des autres à votre égard. N'accusez plus la fatalité, la méchanceté d'autrui... Ce qui vous arrive est peut-être davantage sous votre contrôle que vous n'aimez le croire.

Souriez

C'est une réalité, votre sourire influence inconsciemment votre entourage. Une étude a montré que si une serveuse souriait d'un franc sourire, elle recevait des pourboires nettement plus importants que si elle ne faisait qu'esquisser un léger sourire.

Le sourire vous fait du bien, fait du bien aux autres et à vos relations. D'autant qu'il est en général communicatif. Il est difficile de ne pas sourire en réponse. C'est la raison pour laquelle les individus terrorisés par le conflit vous sourient, surtout quand ils vous annoncent des choses difficiles, comme pour vous amadouer. Ce n'est pas conscient. Ils ne cherchent pas à vous manipuler. Mais dès qu'il y a une menace de dispute, ils placent un sourire sur leur visage. Difficile de leur résister ! Quand Marie exprime de la colère à son mari, il répond en souriant. Marie se sent jugée, elle a l'impression qu'Octave ne prend pas la mesure de la situation, voire la méprise. Mais Octave a tout simplement du mal à s'empêcher de sourire, il déteste le conflit et désarme ainsi ses attaquants. Marie a beau être exaspérée par le sourire d'Octave, elle ne peut s'empêcher de sourire elle aussi. Il gagne à tous les coups, mais ce n'est que gain superficiel. Marie se sent manipulée, elle accumule une rancœur qui ne dit rien de bon pour l'avenir du couple. Le sourire de défense est donc une arme redoutable, à utiliser avec modération sous peine d'abîmer nos relations sur le long terme.

Le vrai sourire, lui, est à utiliser sans aucune modération !

Le langage de l'apparence

Le violoniste virtuose Joshua Bell, collectionnant les prix les plus prestigieux – dont le Avery Fisher Prize – icône de la musique classique, a donné un concert à Washington, dans l'indifférence générale. « J'étais nerveux, c'était une expérience difficile que d'être ainsi ignoré ! Je m'y attendais un peu, mais ça faisait quand même mal. Je jouais du mieux que je pouvais et les gens passaient sans même un regard. » Qu'est-ce qui a rendu sourd le public de ce merveilleux violoniste ?

Le 30 septembre 2008, ayant troqué son queue de pie de concert pour un jean, tee-shirt et une casquette de base-ball, mais avec son authentique Stradivarius valant 3,5 millions de dollars, Joshua Bell était descendu jouer dans le métro à Washington. Après 43 minutes de violon en pleine heure de pointe, il n'avait gagné que 32 dollars [1]. Sans le décorum d'un concert classique, les gens ne l'ont pas reconnu mais surtout n'ont pas entendu la beauté du son. Il avait le costume d'un musicien de rue, ce n'était donc qu'un musicien de rue !

Si l'habit ne fait pas le moine, il influe notablement les réactions de l'entourage à notre égard ! Et si Joshua Bell ne perd pas ses qualités de violoniste en changeant de vêtement, il est toutefois évident que nous ne sommes pas la même femme en robe longue de soirée qu'en jean tee-shirt, pas le

---

1. Expérience organisée par le *Washington Post*.

même homme en frac ou pantalon en velours côtelé. Même nos sous-vêtements, bien qu'invisibles, ont une influence sur nous ! Avec des dessus affriolants, l'attitude d'une femme vis-à-vis des hommes n'est pas la même que si elle porte un soutien-gorge de sport. Les images associées à ces vêtements mais aussi leur confort ou inconfort – les talons aiguille ne se laissent pas facilement oublier – modifient notre relation à soi et aux autres.

Nous donnons des milliers d'informations aux autres sur nous-mêmes et le type de relation que nous allons établir avec eux par notre attitude, mais aussi par notre apparence. Nos vêtements ne sont pas seulement des habits, ils sont un langage. Ils parlent aux autres, Adam gagnerait à maîtriser cette langue et vérifier que les autres comprennent bien ce qu'il désire qu'il comprenne. Il cherche du travail, mais n'est pas prêt à modifier son apparence vestimentaire. « Je suis comme je suis, je ne suis pas prêt à me prostituer. » Des mots forts ! Alors qu'il ne s'agit que de parler un langage que les autres puissent comprendre, auquel ils puissent s'identifier. Sans porter l'uniforme de l'entreprise, afficher une trop grande distance aux codes ambiants va signaler au recruteur que vous refusez d'appartenir à leur groupe. Vos vêtements parfois disent l'inverse de ce que vous aimeriez dire !

Soizic ne s'aime pas. Du coup, elle a tendance à n'être guère attentive à son apparence. Elle s'habille pour s'habiller, sans chercher à être jolie puisque de toute façon elle se trouve moche. Les yeux des autres ne lui renvoient donc pas d'admiration. Ce qui lui confirme qu'elle n'est pas jolie. Elle se raconte que d'autres choses sont plus importantes... Elle s'enferme elle-même dans cette image négative.

Juliette est une femme de quarante-deux ans. Mais elle en fait bien moins. Avec ses deux petites couettes qui s'agitent sur sa tête, on hésite à la considérer comme une adulte. Face aux situations, elle semble dire « Ce n'est pas ma faute, je n'y suis pour rien ». Son apparence envoie des messages à son entourage, qui y répond en la prenant en charge. Puis elle se désespère de ne pas être prise au sérieux. Il semble superficiel et bien injuste de donner cette importance à une coiffure. Mais est-ce si anodin ?

Lors d'une expérience [1], des sujets refusant tout à fait l'idée qu'ils puissent évaluer différemment une femme avec les cheveux courts ou longs ont été mis devant l'évidence. Des personnes furent photographiées avec les cheveux lâchés et portant des vêtements féminins, ou les cheveux attachés et vêtues d'une tenue très stricte. Les photos ont été jointes à des dossiers rigoureusement identiques. Une nette préférence est allée aux candidates strictes. La même expérience avec des hommes habillés strict ou décontracté a donné un résultat identique. Cette loi de l'apparence semble se manifester également à l'école et dans toute la société. Un enfant mal habillé sera considéré comme moins performant scolairement. Les femmes porteuses de lunettes sont perçues comme plus intelligentes. Les lunettes font l'intelligence et l'habit fait le moine !

Le vêtement est un signe d'appartenance. S'habiller très différemment signifie « Je ne suis pas comme vous » et même « Je ne veux pas vous ressembler ». Nous sommes portés à aimer ce qui nous ressemble. Les expérimentations en psychologie ont montré que nous estimons plus compétentes les personnes dont le prénom a la même initiale que le nôtre. Plus on peut s'identifier, plus on se sent proche, plus on a d'estime spontanée pour la personne. À cause des neurones miroir, si vous désirez que l'autre vous apprécie, il est nécessaire qu'il puisse s'imaginer avec les mêmes

---

1. Revue *Cerveau et Psycho*, n° 4.

vêtements. S'il est incapable de les porter pour une raison ou pour une autre, il vous jugera moins positivement.

Style vestimentaire, coupe de cheveux, maquillage, sont des langages que nous confondons parfois avec une définition de notre identité. Lors d'un entretien d'embauche, nous gagnons à nous vêtir selon les normes du recruteur. Dans d'autres situations, revendiquer une originalité est plus approprié et même peut nous aider à résister à la pression des autres, en nous aidant à nous souvenir que nous sommes différent.

Tout se joue dans les premiers instants d'une rencontre. Attitude, voix, geste, regard, tout a son importance et envoie des signaux à l'interlocuteur. Pourquoi laisser ces précieuses minutes à la libre disposition de l'inconscient qui en profite pour nous inviter à rejouer sans cesse les mêmes *scenarii* relationnels ?

Dans les relations humaines, **inutile d'accuser autrui**, tout est système et boucles rétroactives. Nos croyances, nos *a priori*, jouent un rôle primordial dans notre manière d'aborder autrui. En prenant conscience de notre part de responsabilité, et en modifiant les paramètres de notre attitude à autrui, notre distance proxémique ou notre poignée de main, nous pouvons changer le regard des autres sur nous et donc nos relations.

Cessons d'être objets dans nos relations. **Devenons sujets.** Apprenons à nous centrer sur nous-mêmes ou sur les autres à bon escient et non en guise de protection ou pour prendre le pouvoir sur autrui. Maîtriser sa communication, c'est si simple. Il suffit d'un court temps de pré-contact : regarder, respirer, pour laisser nos neurones miroir se synchroniser et diriger notre expression.

Un regard, un sourire, un mot ne sont jamais superflus, ils sont autant de gestes d'hygiène sociale. Mettre un peu de conscience dans nos rapports quotidiens aux gens que nous croisons peut changer notre vie et celle des autres.

2.

Que dites-vous
après avoir dit bonjour[1] ?

Éric Berne, psychiatre psychanalyste autrichien émigré
aux États-Unis, inventeur de l'Analyse Transactionnelle et
auteur d'un livre auquel j'ai emprunté le titre de ce chapitre,
proposait cette astucieuse entrée en matière : êtes-vous déjà
allé en Éthiopie ?

De deux choses l'une, si votre interlocuteur vous dit
non, vous avez un point commun : ni vous, ni lui, n'avez mis
les pieds en Éthiopie. Et s'il y a été, vous pouvez alors lui
demander de vous raconter son voyage, il se sentira valorisé
et vous aurez un sujet de conversation.

Que se passe-t-il ensuite ? C'est là toute l'aventure
humaine. Pour mieux analyser nos rapports aux autres, Éric
Berne a distingué six façons de structurer notre temps en
relation avec autrui. *Le rituel* qui permet d'entrer en relation
en prenant le minimum de risque personnel. *Le passe-temps*,
ce moment où l'on parle de la météo, du foot, de cuisine ou

---

1. Titre d'un excellent livre d'Éric Berne, psychiatre, créateur de l'Analyse Transactionnelle.

de politique, juste pour échanger, passer le temps et se sentir bien ensemble. C'est une phase nécessaire pour vérifier si nous nous accordons suffisamment avec la personne et avons envie d'aller plus loin dans la relation. Le passe-temps n'est pas si anodin que cela, il permet de se montrer et de découvrir l'autre. Parler de choses et d'autres permet de réduire l'angoisse de la rencontre. En termes d'implication, vient ensuite *l'activité*. Chacun est centré sur la tâche à accomplir. Il y a des objectifs, la situation est donc structurée, chacun sait pour quelle raison il est là et ce qu'il a à faire, ce qui maintient l'angoisse à un niveau acceptable. Angoisse ? Quelle est donc cette angoisse qui nous étreint lorsque nous sommes face à autrui ? Nous aspirons tous à *l'intimité*, ce rapport authentique de cœur à cœur, mais à moins d'être « éveillé », Jésus ou Bouddha, il nous reste à chacun quelques freins à l'ouverture du cœur. Vivre l'inti-mité, c'est être authentique, se montrer tel que l'on est. Cela nécessite d'être dégagé de toute peur du jugement, des croyances sur soi et des projections sur l'autre... Bien sûr, nous vivons tous de courtes fenêtres au cours desquelles nous vivons cette qualité relationnelle qu'est l'intimité, mais même au sein de notre famille, ce n'était pas forcé-ment habituel. Et, à vrai dire, oser nous exposer face à autrui sans masque, juste être, sans tenter de dissimuler ses fragilités ou ses faiblesses, sans tenter de paraître sous notre meilleur jour... cela peut être assez intimidant voire terrori-sant.

Alors, que faire pour obtenir suffisamment de contacts sociaux sans prendre le risque de l'intimité ? Il nous faut contrôler les relations, prévoir l'issue des échanges. Décrits eux aussi par Éric Berne, les *jeux* psychologiques sont des jeux de pouvoir qui visent à échanger sans prendre de risque puisque nous conservons le contrôle de la situation. L'étude des jeux prendrait un livre entier. Je vous renvoie donc à l'ouvrage d'Éric Berne, *Des jeux et des hommes* [1].

Intimité ne signifie pas forcément être nu dans un lit, c'est un contact authentique de cœur à cœur. On peut d'ailleurs « faire l'amour » de manière rituelle, tous les samedis soir. Comme passe-temps : « Tiens, la télé est cassée. » Comme une activité, dans le but de procréer ou même pour maintenir son couple en santé. On peut faire l'amour en jouant un jeu, persécuteur : « Je me sers de toi » ou victime : « Il faut bien y passer », voire sauveur : « Je fais ça pour toi, je sais que tu en as besoin. » Ou dans l'intimité, c'est-à-dire en étant en vrai contact avec soi et avec l'autre. Bien sûr, le goût de l'amour n'est pas le même !

Avant de faire l'amour, il y a quelques préliminaires. Jetons un œil sur ces entrées en matière que sont les rituels et le passe-temps, puis nous reviendrons à l'intimité.

Comment allez-vous ?

« Comment allez-vous à la *selle* ? » était la formule complète employée en particulier à la Cour de France aux XVIe et XVIIe siècles. La médecine attachait une grande importance à la qualité des selles et des *urines*. Et clairement les frontières de l'intime n'étaient pas les mêmes qu'aujourd'hui. Quand on pose la question « Bonjour, ça va ? », nous ne faisons pas vraiment une enquête et nous n'attendons pas comme au XVIe siècle que la personne nous parle de la couleur de ses excréments. « Bonjour comment ça va ? » n'attend pas vraiment d'autre réponse que « ça va bien et vous ? ». Ce sont des phrases rituelles qui permettent d'échanger quelques unités de reconnaissance de plus que le

---

1. Stock.

simple bonjour. Vous donnez un peu plus d'attention à l'autre. Soyez attentif à la réciprocité, c'est-à-dire à l'équilibre des signes de reconnaissance échangés de part et d'autre. Il vous arrive de vous sentir comme agressé par des gens qui vous disent « bonjour, comment ça va... », de vous sentir comme obligé d'entamer une conversation que vous ne désiriez pas ? Certaines personnes, peu sûres d'elles-mêmes, cherchant à se faire adopter, ne savent pas mesurer la quantité d'unités de signes de reconnaissance et en donnent trop, déséquilibrant la relation. Elles s'impliquent au-delà de ce que la situation le justifie. Cela s'appelle « le pied dans la bouche » en relation avec la technique dite du « pied dans la porte » qu'utilisent les démarcheurs à domicile pour vous vendre une encyclopédie. Ils mettent leur pied dans la porte et vous empêchent de la refermer.

Les rituels sont très importants. Ils exaspèrent certains qui y voient un manque d'authenticité. En réalité, ils sont les signes que nous nous envoyons les uns aux autres pour dire si nous avons envie d'entrer en relation ou non. Ces rituels sont des codes sociaux pour signifier à l'autre qu'il a sa place, le confirmer dans son existence. Ils sont aussi des manières de briser la glace.

« Briser la glace [1] » : le terme souligne combien la rencontre entre deux humains est difficile. Lorsque deux êtres se rencontrent, c'est d'abord la glace qui s'installe. Chacun sent une légère tension monter en lui. La glace fige. Les deux sont interdits... jusqu'à ce que l'un des deux soit s'éloigne, soit brise la glace.

---

1. Deux origines possibles pour cette expression. Elle ferait référence au moment où l'on brisait la glace en hiver pour se laver au point d'eau, alors que tout le groupe était réuni en petite tenue pour se tenir chaud. Ou au fait de briser le miroir : cesser de se focaliser sur sa propre image et s'intéresser aux autres. Vrai ou non ? En tous cas joli ! Trouvé sur http://xeteras.free.fr/?m=200310

Dès qu'une personne parle, elle a moins peur. Sachant cela, pour mettre les autres à l'aise, diminuer le stress lorsque nous sommes deux à attendre le bus ou le professeur dans une salle vide, il suffit de prononcer quelques mots : « Quelle belle journée, il fait chaud... » « Vous attendez le bus depuis longtemps ? » Une affirmation qui nomme votre expérience commune suivie d'une question pour aider l'autre à prendre la parole à son tour. Échanger autour du temps qu'il fait permet simplement de se parler. Ce n'est pas le contenu qui est intéressant, mais le fait d'échanger sans prendre de risque affectif. Les commentaires sur la météo n'ont d'intérêt que parce qu'ils nous permettent de sentir combien nous partageons la même expérience. Ce qui nous fait nous sentir appartenir à un groupe commun.

« Je n'aime pas les banalités » clame Bernard. Oui, seulement voilà. Ce sont elles qui nous permettent d'entrer en relation.

La petite conversation

Ensuite s'installe une conversation plus ciblée, mais toujours assez impersonnelle. On parle d'une émission vue à la télé, de foot, de voitures, de cuisine, des infos du jour, de tout et de rien... C'est le passe-temps. Parler pour commencer à se situer, identifier des points communs, trouver des points d'accord. La petite conversation n'est pas appréciée par tous. Elle est volontiers dévalorisée par les intellectuels qui ne désirent pas s'abaisser à parler de futilités comme la météo... Ce ne sont que leurs peurs de l'intimité. En réalité, c'est un moment très important. C'est la conversation avec les personnes avec lesquelles on partage un moment, la discussion avec les collègues, avec les commerçants. C'est un temps nécessaire pour échanger des signes de reconnaissance et voir si on a envie d'aller plus loin. La petite conversation est un art. Parler de choses et d'autres n'est pas si simple pour tout le monde.

Que se dire ? Luce ne savait jamais de quoi parler. Quand un collègue lui disait : « Salut, ça va ? Tu as passé un bon week-end ? » elle répondait laconiquement « oui, très bon ». Et la conversation s'arrêtait là. Elle enviait sa collègue Constance qui, face au même « Salut, ça va ? Tu as passé un bon week-end ? », embrayait sur les quatre cents coups de ses enfants et livrait moult détails sur le menu du dimanche midi.

Luce redoutait par-dessus tout la fatidique question : « Quoi de neuf ? » Elle n'avait rien de « neuf » ni de très intéressant à offrir à son questionneur. Constance, elle, partant de l'hypothèse que tout pouvait être intéressant, avait toujours une anecdote à raconter. Et elle avait raison. Tout le monde aimait Constance parce qu'elle savait quoi dire et surtout comment le dire. À l'écouter, elle ne disait rien de bien original, mais elle parlait avec une foule de détails et c'est cela qui rendait passionnant son discours. En l'écoutant, on voyait littéralement le visage de ses enfants, leurs attitudes, la couleur du ciel. On sentait presque les odeurs de forêt quand elle racontait la chasse aux champignons. Et on avait l'eau à la bouche en l'entendant parler du soufflé de sa grand-mère.

Luce ne disait rien parce que rien ne lui semblait sortir de l'ordinaire dans son quotidien. Constance avait compris que c'est justement l'ordinaire qui est passionnant parce que chacun peut s'identifier. Tout peut être intéressant parce que cela fait partie de l'expérience humaine. Et quand vous racontez une anecdote, ne passez pas les détails sous silence. C'est justement cela qui intéresse les gens, les détails ! parce qu'ils permettent de voir, sentir, toucher...

Aline, non plus, ne parle guère. Elle se plaint de ne pas avoir de mémoire. C'est la raison, pense-t-elle, pour laquelle elle a si peu de conversation. Elle ne se souvient pas de ce qu'elle a lu le matin même dans le journal ou entendu la veille à la télévision. Le nom du réalisateur du film qu'elle vient de voir lui échappe... Aline admire ceux qui ont tant de détails à raconter. En réalité, elle confond cause et conséquence. Le fait de ne pas mémoriser n'est pas une cause de ses difficultés à parler, mais une conséquence. Le processus de mémorisation s'enclenche en fonction d'un projet. Les personnes qui ont l'habitude de parler beaucoup mémorisent mieux. Car lorsqu'elles voient ou entendent une information ou une blague, leur cerveau entrevoit la possibilité de l'utiliser. Elles se voient en train de raconter cela à Marcel ou à Florence... Bien sûr, le processus est inconscient, mais le cerveau mémorise l'information parce qu'il a un projet. Une personne qui parle peu aux autres, ne se fait pas le projet de raconter. Lorsque son cerveau entend les informations, il ne les associe pas avec une perspective d'utilisation. Il oublie. En réalité, il n'oublie pas complètement. La personne d'ailleurs sera souvent interpellée : « Mais je le savais, pourquoi je n'y ai pas pensé ? » L'information n'est pas disponible parce qu'elle n'a pas été accrochée à un projet.

Les autres ne cherchent pas à nous juger au premier abord intéressant ou non, ils n'évaluent pas notre culture, ils voient s'ils se sentent bien avec nous ou non. En un mot, leur seule question est de savoir si notre contact leur sera confortable.

Le passe-temps est une source de contact avec autrui et d'estime de soi. Ce n'est pas seulement un évitement de l'angoisse, même si en prenant la parole, vous soulagez instantanément l'autre qui ne savait pas quoi faire ni comment se comporter. Vous pouvez en faire un moment riche de sens en permettant à la personne non seulement de se sentir bien, mais de se valoriser. Oui, vous avez ce pouvoir ! Il s'agit de tirer de l'autre ce qu'il peut donner, qu'il sache qu'il a cela à l'intérieur ou non. Dans le passe-temps, le contenu n'est pas très important. Le plus important est d'être ensemble. Les banalités rassurent. Tout le monde peut participer. Il s'agit d'être là les uns pour les autres.

Vous vous ennuyez dans ces conversations légères ? Prenez les choses en mains, qu'est-ce qui vous empêche d'orienter la discussion vers un sujet qui vous tient à cœur ? Vous avez le sentiment de ne rien avoir à apporter ? C'est ce que vous croyez, à tort comme Luce... Mettez en valeur votre vis-à-vis, posez des questions ! Questions ouvertes, invitations à poursuivre : racontez-moi, dites-m'en davantage, je n'y connais rien, expliquez-moi... Témoignez de l'intérêt, relancez. On vous a dit que la curiosité était un vilain défaut, c'est faux ! Votre curiosité fera se sentir intéressant votre partenaire. Il vous en appréciera davantage.

Pour définir notre position dans la hiérarchie sociale invisible, nous ne nous battons pas seulement avec les muscles. Montrer que nous en savons plus que l'autre, que nous détenons une information originale nous permet de grandir notre position.

— Sais-tu que...

— Oui je sais, répond souvent l'autre, même s'il ne sait pas vraiment.

La tendance à minimiser l'information en montrant qu'on la possédait déjà ferait partie de la politique de notre espèce depuis son apparition[1]. Ça fait partie de la bataille pour la suprématie. Nous l'avons déjà vu : vous ne vous ferez pas forcément des amis en étalant votre science. On peut être ébloui par quelqu'un qui nous en met plein la vue.

---

1. J.L. Dessalles, *Aux origines du langage, une histoire naturelle de la parole*, Hermès, 2000.

Mais on se sent bien avec une personne qui nous permet de nous sentir intéressant, intelligent, chaleureux, bon... Une personne qui fait émerger nos compétences. Oui, il est important de se montrer, d'oser parler de soi, de montrer ses succès, et aussi de parler de son quotidien. Sans en faire trop. Dès que vous paraissez trop brillant, vous placez votre interlocuteur en position de faiblesse, son statut sera diminué, il ne vous en appréciera que moins. Briller vous fait admirer, pas forcément aimer. Ou, si vous brillez, prenez soin de valoriser vos interlocuteurs en soulignant leurs qualités. Surtout en public. Brillant, vous êtes de statut élevé. Une remarque positive de votre part renforce le prestige de la personne à qui elle est adressée.

Une personne qui vous donne des informations se sent valorisée, importante. Elle acquiert du prestige, donc elle se sent bien avec vous. N'hésitez jamais à poser des questions sur toutes sortes de sujets jusqu'à ce que vous en trouviez un sur lequel votre interlocuteur a davantage de connaissances que vous.

Nombre de gens se réfugient derrière un statut d'insignifiant pour souligner qu'ils n'ont rien à faire et que tout le monde se fiche de leurs réflexions. C'est faux. CHAQUE PERSONNE EST IMPORTANTE, ET UNIQUE et chacun a du pouvoir sur les autres. Inutile de prendre le pouvoir de manière agressive : exercez plutôt votre puissance constructive. Vous avez le pouvoir d'aider les autres à se sentir mieux. À l'aise, vous mettez l'autre à l'aise. Mal à l'aise, vous le mettez mal à l'aise.

Vous avez, nous avons tous, beaucoup de pouvoir sur autrui. Par le biais inconscient de l'empathie corporelle – les neurones miroir et le cerveau frontal –, et par le biais conscient des compliments. Osez-vous manifester verbalement ce que vous appréciez dans la relation à l'autre ? Nous serions bien avisés de remarquer positivement les

comportements, expressions et attitudes des autres au lieu de
juger autrui ou de nous culpabiliser en méditant à ce que
nous avons dit ou fait, en bien ou en mal. À l'instar de
Valentine qui se met martel en tête *a posteriori* : « J'ai dit
cela, il doit croire que, oh là là, je m'en veux… », nous
sommes en majorité trop centrés sur nous-mêmes. Nous centrer sur les autres nous aidera à établir des relations plus har-
monieuses, moins coûteuses en énergie. « Plus on donne,
plus on reçoit » et surtout, quand on donne, on s'éprouve
comme puissant.

Comment occuper le temps ensemble est la grande
question de tous les humains. Donc, si vous prenez les
choses en main, les autres vous en sauront gré. À condition
que vous leur laissiez de l'espace !

« Elle se croit intéressante, mais elle parle pour ne rien
dire. » Effectivement, Véra parle, un vrai moulin à paroles.
Elle a l'air à l'aise en société et sa langue ne tarit jamais. En
réalité, cette logorrhée, loin de manifester qu'elle se croit
intéressante, est une tentative de cacher à quel point elle se
sent inintéressante. C'est comme un automatisme, elle se
jette en avant pour tenter de recevoir un peu d'attention, elle
en a tellement manqué. En parlant, elle extorque l'écoute de
l'autre, son attention, son regard. Elle a si peur de ne pas être
suffisamment intéressante en étant simplement présente à
elle-même et à l'autre, qu'elle attire l'attention en parlant.
Certains, ainsi, semblent passés maîtres dans l'art de la
conversation. On les entend en permanence. En réalité, il se
peut qu'ils parlent pour cacher le vide.

Ils ont de tels besoins de valorisation qu'ils centrent la
conversation autour d'eux. Ils sortent d'une soirée au cours
de laquelle eux seuls se sont exprimés : « c'était une super
soirée, très intéressante ». Ils se sont sentis bien parce qu'ils
ont pu parler et être écoutés. Mais les autres ? De manière
générale, celui qui ne parle pas, celui qui ne s'exprime pas,

risque de vivre mal la situation. Pour se revaloriser, il peut vous aider à la cuisine, se rendre utile. Il est débiteur et cherche sa place.

S'exprimer et écouter sont les deux verbes à manier avec habileté. Il n'est pas nécessaire que ce soit 50/50. Vous pouvez vous sentir très bien en écoutant 90 % de la soirée, si vous avez l'occasion de participer pour 10 %. Tout dépend de vos habitudes, de vos besoins, de votre énergie ce jour-là, et bien sûr des personnes en présence. Souvenez-vous toutefois de participer au moins à 5 %, de manière à ne pas engranger de sentiments négatifs d'exclusion, de dépit, de rancœur. Nous n'en avons pas forcément conscience sur l'instant, mais le fait de ne pas avoir de place dans une rencontre, surtout si ce n'est pas une attitude décidée consciemment, laisse des traces. Pour ne pas sentir les sentiments douloureux, pour tenter de restaurer leur image d'eux-mêmes, les exclus ont tendance à porter des jugements sur les autres convives. « Tu as vu, untel ne se prend pas pour n'importe qui. Vraiment, unetelle est d'un égoïsme... » Plus vous êtes passif, plus vous êtes mal, et pour ne pas en avoir conscience, vous en projetez la responsabilité sur les autres, vous les jugez.

La prochaine fois que vous vous surprendrez à poser un jugement sur une personne après un dîner, posez-vous la question : comment avez-vous pris votre place lors de cette soirée ?

Un mariage, l'orchestre joue... Quelques jeunes dansent, mais la grande majorité reste assise à table. Le dîner est pourtant terminé, il ne reste que quelques miettes sur la nappe à tripoter... La musique couvre les conversations. Vous venez danser ? Les gens restent assis à leur table. Ce n'est pas par choix. C'est par peur ! Peur du ridicule, peur du jugement... Ils ont appris à ne pas se mettre en avant.

Passeront-ils une bonne soirée ? Probablement pas, même s'ils ne le diront pas. Il est tout à fait désagréable de ne pas participer, de sentir cette tension intérieure entre « j'y vais »/ « je reste assis ». Dire non aux sollicitations « allez, viens danser » coûte chaque fois un peu d'estime de soi. Si personne ne vient vous solliciter, c'est encore pire, les sentiments d'isolement et d'exclusion, les croyances négatives sur soi, se renforcent. Oh, nous y sommes habitués. Si habitués que souvent nous ne remarquons même pas que c'est douloureux.

Heureusement, ce soir, les mariés ont prévu un animateur. Ce dernier distribue de petits papiers avec un numéro. Puis il met le double des papiers dans un chapeau et fait piocher une main innocente. L'animateur appelle les propriétaires des numéros piochés sur la piste. Les heureux gagnants se lèvent avec plus ou moins d'enthousiasme, mais la bonne humeur et les talents d'entraînement de l'animateur ont raison de leurs résistances. La situation est déjà moins dangereuse. Les invités ne portent plus seuls la responsabilité de venir sur la piste, c'est l'animateur qui les y a incités. Ils sont obéissants. Leur maman ne pourra pas se plaindre qu'ils se mettent en avant ou qu'ils vont s'amuser. Si ça se passe mal, ils pourront toujours dire qu'ils n'ont pas désiré venir. L'animateur donne des consignes, « J'appelle le 5 et le 18, l'homme met son bras ici, la femme se tourne vers l'homme... ». Il guide, montre quelques pas de danse folklorique. Et invite le couple à faire une courte démonstration de leur nouveau talent. Ceux qui auront participé garderont un chouette souvenir de cette fête pour autant, bien sûr, que la suite des jeux ait été respectueuse des sentiments et de l'intégrité morale de chacun.

L'animateur a su proposer une activité. Il a détourné l'attention. Sur la piste, les danseurs ne sont pas là pour prendre du plaisir à bouger leur corps, mais pour accomplir une tâche qui leur a été assignée et atteindre un objectif : réussir les pas de la danse folklorique. Et bien sûr, les danseurs prennent beaucoup de plaisir, mais sans en assumer la responsabilité. L'animateur a fourni un cadre et une tâche qui permettent un peu plus de proximité que le passe-temps. En structurant la soirée, en orientant les gens vers des tâches à accomplir, il a soulagé l'angoisse de chacun, il a favorisé une dynamique dans laquelle chacun a pu trouver sa place sans prendre trop de risque affectif.

FAIRE, l'activité

Faire ensemble. Chacun est centré sur l'objectif et non sur la relation. L'intensité émotionnelle est moindre. L'activité est centrée sur la tâche et nous tirons nos gratifications non de la relation à l'autre, mais de la réalisation de la tâche, tant dans la fierté de l'accomplissement une fois la tâche effectuée que dans la simple mobilisation de nos compétences dans l'action. De plus, nous sommes actifs donc en position de sujet, moins vulnérables qu'en position d'objet. L'activité remplit notre réservoir de gratification sans avoir à prendre de vrai risque relationnel. Certains travaillent à en perdre haleine, juste pour ne pas sentir la solitude de leur vie affective. Les jeunes papas ont tendance à rester une demi-heure de plus (c'est une moyenne statistique) au bureau chaque jour tant la rencontre avec leur nourrisson les terrifie. Avec un nourrisson, il n'y a pas grand-chose à faire. Juste être là, yeux dans les yeux.

L'activité soulage les hommes. Pour gérer le stress, ils ont besoin de « faire » quelque chose. Leur femme pleure ? Leur sang ne fait qu'un tour, l'amygdale déclenche une décharge de testostérone, ils se sentent mis en demeure d'agir. Comme personne ne leur a dit qu'il n'y avait rien à faire qu'à la prendre dans les bras, ils cherchent à résoudre la situation. Ils se font un devoir de trouver une solution au problème de leur femme. FAIRE. S'ils peuvent faire quelque chose pour elle, ils sont rassérénés.

Sortir la poubelle, réparer la voiture, monter du bois ? Oui, tout de suite. « Te prendre dans les bras, juste être là ?... Mais qu'est-ce qu'il te faut ? Tu n'es pas heureuse avec moi ? » alors que Laetitia vient justement de lui dire que ce qu'il lui fallait, c'est un peu plus de présence authentique. Les neurophysiologistes nous expliquent que tout cela est physiologique, ils n'y peuvent rien, c'est la testostérone. Mais si on y regarde de plus près, nous devons avouer que nous avons, nous les femmes, tendance à faire exactement la même chose avec nos enfants ! Il pleure ? Tout de suite, nous cherchons une solution, nous voulons FAIRE quelque chose. C'est si dur de rester juste là. De simplement écouter l'autre, et ÊTRE présent pour lui permettre de trouver en lui ses ressources et ses solutions. Il semble donc que ce comportement soit inhérent au fait de se sentir responsable de l'autre. Eh oui, mesdames, quand nos amis, nos maris, refusent nos larmes, c'est parce qu'ils se sentent responsables de nos sentiments. Et quand nous sommes tentés de les juger, rappelons-nous que les femmes aussi remplacent souvent l'intimité par l'activité. Qui s'active en cuisine à tout ranger au lieu de s'installer au côté de son amoureux sur le canapé ?

L'activité peut être un évitement, mais aussi servir de passage en douceur vers l'intimité. Il est parfois plus facile de parler quand on fait des choses ensemble, ne serait-ce que marcher, se promener. Françoise voulait parler à son père. Sachant ce dernier paniqué par toute perspective d'intimité, elle lui a proposé une promenade en forêt. Entre deux champignons, elle a pu lui dire tout ce qu'elle avait sur le cœur sans que celui-ci ne se dérobe. Carole, elle, n'arrivait pas à communiquer avec sa fille Audrey, une ado de 14 ans. Tous ses « Je veux te parler / Assieds-toi pour que nous parlions » avaient échoué. Installées côté à côte pour équeuter les haricots verts, les mains occupées à une même tâche, elles ont pu aborder les soucis qu'Audrey rencontrait au collège dans une atmosphère de sérénité et de confiance que Carole ne pensait jamais trouver avec sa fille vu leurs relations d'ordinaire plutôt orageuses.

ÊTRE, l'intimité

L'intimité déclenche l'émotion d'amour. Elle est ce moment sublime où l'on ose se dire « je t'aime », mais aussi « j'ai peur » ou « je me sens frustré dans notre relation ». Bérénice me confie « Je ne sais pas si j'aime mon mari, je n'ai pas de désir pour lui. Avec mon amant, j'ai du désir, mais je ne l'aime pas. »

« Je ne sais pas si je l'aime. » J'ai entendu cette phrase si souvent dans mon cabinet. Elle procède d'une confusion entre l'émotion d'amour, le sentiment d'amour et la relation d'amour. Nous n'avons qu'un mot pour tout cela, amour. L'émotion d'amour, aussi intense soit-elle, n'est qu'une émotion. Elle est nécessaire au sentiment d'amour comme à la relation d'amour mais pas suffisante. Elle peut être fugace et ne pas nous engager à construire un sentiment d'amour, lequel s'étale dans la durée. On peut éprouver des émotions d'amour et aimer de sentiment d'amour sans pour autant choisir de vivre une relation d'amour avec une personne. Parce que la relation engage un projet.

En revanche, la relation d'amour nécessite le sentiment d'amour, lui-même étayé sur les émotions d'amour. On peut vivre l'émotion d'amour avec toutes sortes de personnes, nos enfants, nos amis, ou même un inconnu. L'émotion nous appartient. Elle survient lorsque certaines conditions sont réunies, dans cet espace qu'Éric Berne a nommé « intimité ». Qu'est-ce qu'un contact authentique de cœur à cœur ? Cela signifie déposer le masque social, montrer ses émotions et ses besoins, oser exposer sa vulnérabilité et se mettre à l'écoute de la Vie qui coule dans cet autre en face de nous. C'est-à-dire le regarder lui aussi au-delà du masque que peut-être il arbore. Le voir au-delà de l'apparence. Être sensible à ses émotions, à ses blessures comme à ses richesses intérieures. C'est bien entendu plus facile si l'autre aussi se montre dans toute sa vulnérabilité. Mais dans l'absolu, nous pouvons éprouver l'émotion d'amour même envers une personne qui ne montre que son masque, fût-il de violence à notre égard. C'est le défi que relèvent les bouddhistes et de nombreux religieux.

« Je ne sais pas si je l'aime encore » signifie que nous ne vivons pas suffisamment de moments d'intimité pour qu'éclose l'émotion d'amour. Bérénice est attachée à son mari. Mais l'attachement ne suffit pas pour sentir qu'on aime. Le sentiment d'amour a besoin d'être étayé sur l'émotion d'amour. Quand nous oublions l'intimité, quand l'émotion d'amour n'a plus de place, le sentiment faiblit. Chacun a tendance à se réfugier dans les habitudes parce que cela nous paraît sécurisant. Nous avons une fâcheuse tendance à rechercher la sécurité. Ce faisant, nous restons passifs et nous rendons dépendants. Vivre des moments d'intimité, dire « je t'aime » nécessite de prendre des risques affectifs. C'est ainsi que notre tolérance à l'insécurité sera un gage de bonheur plus sûr que la recherche de sécurité.

Revenons à Bérénice. Elle dit ne pas savoir si elle aime son mari. Nous pouvons en déduire qu'elle n'éprouve pas avec lui d'émotion d'amour. Elle doute alors fatalement de son sentiment d'amour pour lui. L'émotion d'amour naissant de la rencontre intime, j'ai invité Bérénice à sortir de ses habitudes relationnelles et à oser se mettre en insécurité : concrètement cela signifiait oser parler à son mari, lui dire ce qu'elle ne lui avait jamais dit, ses doutes et ses besoins, ses peurs et ses frustrations... Tout. Sans rien cacher. Bérénice était terrifiée : « Il va me quitter. » Car, si elle n'était pas certaine de l'aimer encore, elle était très dépendante de lui et l'idée qu'il puisse partir l'inquiétait fort. Après quelques semaines, elle a enfin réussi à parler avec Paul. Ce fut un moment douloureux, Paul a été très en colère quand il a appris que Bérénice avait un amant. Ils ont tous deux beaucoup pleuré, beaucoup parlé, toute une nuit et le lendemain, et tous les jours pendant des heures. Et ils ont fait l'amour, beaucoup, et intensément. Et pour la première fois depuis bien longtemps, Bérénice a eu du désir pour Paul et du plaisir avec lui. Elle n'en revenait pas. « Je lui ai dit toutes ces choses que je lui cachais, et lui aussi m'a parlé, on s'est dit des choses tellement douloureuses. Nous avons réalisé que nous n'étions pas heureux l'un avec l'autre, nous avions chacun des frustrations, sans oser nous les dire. Je ne m'étais jamais rendu compte à quel point lui aussi était mal dans la relation. Ça nous a fait un bien fou. Maintenant, on a tout le temps envie d'être ensemble. On est retombés amoureux ! On n'arrête pas de parler, on pleure encore beaucoup. En fait, je découvre un nouvel homme. C'est incroyable de penser que je vivais avec un inconnu depuis douze ans ! J'ai quitté mon amant. Je suis vraiment bien avec Paul maintenant et je l'aime. C'est si fort. Ça me brûle dans la poitrine. J'éprouve des choses que je n'avais jamais ressenties auparavant, et lui non plus. »

Bérénice a pris le risque de l'intimité. Elle y a découvert l'amour. C'était un vrai risque. Ces deux-là auraient aussi pu décider de se séparer. C'est une des raisons que nombre de gens mettent en avant pour éviter de se montrer vrais. « Si je suis moi, il/elle va me quitter. » En réalité, nous avons bien davantage peur de nous rapprocher que de nous quitter. Oser entrer dans le torrent des émotions, en prenant le risque de réveiller les émotions anciennes refoulées. L'intimité intimide parce qu'on y est sans repère, sans pouvoir sur l'autre et pour tout ce qu'elle implique d'intensité émotionnelle et de vulnérabilité.

L'intimité est conviée à nos rencontres amoureuses, mais ne s'y restreint pas. On peut être dans l'intimité lors d'un repas aux chandelles, mais aussi sur le quai d'une gare au moment de laisser partir son enfant en colo, en discutant avec une amie ou même avec un inconnu rencontré dans la rue. Chaque fois que nous sommes authentiques. Ce n'est bien entendu pas la même intensité émotionnelle, mais c'est le même contact de cœur à cœur où personne ne cherche à avoir raison sur l'autre, ou à dominer.

L'intimité n'est donc pas une situation, mais un état de conscience et d'ouverture du cœur. L'intimité est une expérience. Ce contact authentique a un pouvoir fantastique sur nous. L'intimité est extrêmement ressourçante. Elle renforce estime de soi et sentiment d'appartenance. Pendant et après une telle rencontre, on se sent chaud, heureux, plein. Chaque fois que nous vivons un instant d'intimité, la question du sens de la vie ne se pose plus, parce que nous sentons la réponse en nous. De plus, cerise sur le gâteau, l'intimité renforce non seulement nos liens à autrui, mais notre image de nous-même et même nos défenses immunitaires !

Alors que nous cherchons tous le bonheur, on peut se demander pour quelle raison nous buvons si peu à cette source. L'intimité, comme le contact physique, et pire le contact physique dans l'intimité, font peur. Peur de se perdre dans l'autre. Peur de ne pas maîtriser l'afflux d'émotions, de larmes. Peur de perdre les tensions. Peur d'être violent, de faire mal. Peur de ne pas pouvoir remettre sa cuirasse après…

Nos parents, la religion, nous ont fait croire nos émotions malvenues. Nous avons appris à cacher nos sentiments réels et à montrer une façade. Nous avons tendance à nous conformer à une image attendue de nous et répugnons à lever le voile sur notre vulnérabilité. Or si nous nous dissimulons, si nous tentons de séduire, de montrer seulement une face de notre être, nous en cachons une autre, renforçant l'idée que cette autre partie n'est pas belle. Cette tension, ce camouflage, prend de l'énergie, et rompt le rapport intime. Nous avons appris la pudeur, impulsion à soustraire à la connaissance d'autrui, fût-il l'être aimé, nos pensées profondes, nos émotions, nos sentiments.

Sur Internet, certains osent davantage se montrer, parler d'eux-mêmes comme ils ne l'ont jamais fait. Ils se livrent. C'est un outil nouveau, grâce auquel ils lèvent les interdits parentaux voire toute pudeur. Cependant, les mêmes qui se confient si librement sur leur clavier n'osent pas se dévoiler ainsi à celui avec lequel ils partagent leur vie dans le monde réel. Quel dommage !

Certains passages de la vie semblent donner des permissions d'être proches : à chacune de mes deux grossesses, j'ai été impressionnée de la modification de l'attitude des gens dès que mon ventre s'arrondissait. Ils étaient tout à coup proches, presque affectueux. Dans la rue, dans les magasins, dans les transports, je ne rencontrais plus que sourires. Bien sûr, j'ai aussi rencontré des rustres qui restaient assis dans le métro en plongeant leurs yeux dans un livre ou un journal pour éviter de croiser mon regard alors que je demandais que quelqu'un me laisse une place assise. Mais dans l'ensemble, quel plaisir ! C'était un peu comme si les autres humains me disaient « vous êtes enceinte, vous êtes un mammifère humain comme nous, nous sommes de la même espèce ». Être enceinte me reliait à l'ensemble de la race humaine.

Dès que le bébé fut dans mes bras, aux sourires se sont ajoutées quelques paroles. Et nombre de gens, pourtant de parfaits inconnus, voulaient même toucher le petit être minuscule. Quelle proximité, quelle intimité, tout à coup ! Comme si la présence du nouveau-né suffisait pour avoir la permission d'entrer dans une dimension où les défenses n'ont plus de sens et où la tendresse peut s'exprimer. Il n'y a pas de risque à manifester de l'affection, un nourrisson ne peut pas attaquer.

L'inconvénient est grand pour les tout-petits, qui héritent ainsi d'un report d'affection excessif. Tous ces solitaires privés d'amour se précipitent sur eux et violent leur espace intime sans vergogne. D'ordinaire, j'étais assez vigilante à protéger mes enfants de ces contacts physiques inappropriés. Mais un jour, dans une boutique, alors que je faisais la queue avec ma fille dans les bras, une inconnue lui a caressé la tête avant que je ne puisse arrêter sa main. « Comme elle est mignonne ! » Lorsque, à mon tour, j'ai caressé la tête de cette dame : « Et vous comment vous sentez-vous quand je vous caresse les cheveux ? », elle était très choquée. Comment avais-je pu oser poser la main sur sa tête ? Poser la main sur la tête de quelqu'un est très intrusif. Et jamais cette femme ne se le serait permis sur une adulte. Mais un bébé n'est pas vraiment une personne à ses yeux, c'est un objet de tendresse. Un objet. Une poupée. Qu'on ne s'étonne plus alors que dès qu'ils en ont la possibilité, les enfants se dérobent aux « fais une bise à la dame ». Ils ne sont décidément pas timides, mais s'assurent une juste distance et refusent les invasions.

Nous avons tous besoin d'amour. Vérifions que nous recevons notre quota régulièrement.

La recherche de sécurité est mauvaise conseillère.
Elle mène à préférer le conformisme à la liberté, à préférer les habitudes à l'amour. Elle nous place donc en objet plus qu'en sujet. Elle nous mène à jouer des jeux de dominant/dominé pour mieux contrôler autrui autant que ses propres émotions et éviter ainsi de prendre des risques. Nombre de nos relations sont de dépendance ou de contre-dépendance. Des relations dans lesquelles nous nous vivons comme victimes des autres ou de la fatalité. La relation mature qu'est l'interdépendance nécessite de s'assumer comme sujet, responsable de ce qui se passe.

La relation est tout un art et nécessite de désapprendre nos automatismes, de sortir de nos habitudes et d'oser avancer vers l'autre dans l'insécurité. Au lieu de chercher à assurer notre propre sécurité, nous serions bien avisés de chercher plutôt à sécuriser les autres. Notre quotidien en serait transformé.

Nous sommes tous en quête d'existence et de reconnaissance. Parce que nous n'osons pas être simplement nous-mêmes, nous allons extorquer des signes de reconnaissance en mettant des masques et en déguisant nos sentiments. Pour nous rapprocher, exerçons-nous à trouver des points communs qui nous donnent le sentiment d'appartenir à un même groupe, nous fournissent une base de conversation ainsi que des points de divergence pour apprendre les uns des autres. **Mais surtout, osons ÊTRE, sans toujours chercher à PARAÎTRE.**
Nous avons tous besoin d'amour. Nous, et les autres aussi !

3.

« Combien as-tu d'amis ? »

— Combien as-tu d'amis ?
— Euh... Je n'en ai pas, me répond Justin.
Les difficultés relationnelles de Justin sont-elles la cause ou la conséquence de ce défaut d'amis ?

Une étude menée en 2000-2001 a établi que 32 % des Français se disaient « inquiets » à l'idée de risques aussi bien individuels (maladie, accident, agression) que collectifs (accident de centrale nucléaire). L'étude a établi que le facteur de réassurance le plus significatif était le fait d'être entouré (famille, club sportif, association). Plus les gens avaient de liens, moins ils étaient inquiets tant pour ce qui concernait leur vie personnelle que vis-à-vis de risques plus collectifs.

Les personnes vivant seules sont donc statistiquement plus inquiètes, elles souffrent aussi plus souvent d'états dépressifs et sont plus fréquemment malades. De nombreuses études ont montré que les personnes ayant un réseau relationnel important et les vies les plus actives vivent plus longtemps et en meilleure santé.

Le psychologue Sheldon Cohen, de Carnegie Mellon University, a organisé une étude sur l'impact du réseau relationnel sur la santé : il a demandé à des hommes et des femmes de noter tous leurs contacts sur une quinzaine de jours. Pour rendre compte de la diversité de leur réseau social, les sujets ont été invités à répartir ces contacts en douze catégories, voisins, parents, partenaires... Puis, ces hommes et ces femmes furent exposés au virus du rhume. Ceux qui avaient le moins de relations ont été 62 % à développer des rhumes contre seulement 35 % des gens ayant des relations dans six catégories ou plus. Interpellant ! Sheldon Cohen en a déduit qu'une des raisons pour une meilleure immunité était que la diversité des réseaux sociaux introduisait un « facteur bien-être » qui augmentait la capacité du système immunitaire à se défendre du virus[1].

La sensation de bien-être psychique et physique croît avec le nombre, mais aussi avec la variété des liens sociaux. Avoir beaucoup de personnes autour de soi ne signifie pas forcément que nous ayons un réseau étendu. Votre réseau relationnel sera d'autant plus riche qu'il sera varié. Les personnes que vous connaissez se connaissent-elles toutes entre elles ou appartiennent-elles à des réseaux différents ? Pour une meilleure santé tant relationnelle, psychique que physique, jouez la diversité. Cinquante personnes de la famille ne vous apporteront pas autant que cinq de la famille, deux amis intimes, trois amis moins intimes et quatre copains, les membres de l'association, quelques voisins et une dizaine de connaissances.

---

1. Cité par Tony Buzan *The power of social intelligence*, Thorsons, London, 2002.

Un Petit Monde

C'est établi, notre réseau relationnel nous maintient en santé psychique et physique. Il nous aide aussi à trouver du travail. Une embauche sur deux se fait en France grâce aux réseaux et à la cooptation. Avez-vous entendu parler de la théorie des six degrés ? Six degrés seulement vous séparent du Président des États-Unis. Les six degrés de séparation est une théorie établie par le Hongrois Frigyes Karinthy en 1929 qui évoque la possibilité que toute personne sur le globe peut être reliée à n'importe quelle autre, au travers d'une chaîne de relations individuelles comprenant au plus cinq autres maillons. En 1967, Stanley Milgram a mis en place une expérience en postant des lettres à faire suivre et en mesurant le nombre de personnes nécessaires avant qu'elles n'arrivent à destination. Il a montré qu'effectivement six connexions au plus étaient nécessaires. Mais bon nombre de lettres n'arrivaient jamais. Malgré les lacunes de cette expérience, Stanley Milgram a fait florès avec le concept de Petit Monde. Si le nombre d'humains sur terre nous paraît immense, le monde est plus petit que nous ne le croyons et nous ne sommes pas si inconnus les uns pour les autres.

Si l'expérience de Stanley Milgram péchait par le manque de fiabilité des résultats, la théorie du Petit Monde vient d'être confirmée à grande échelle grâce à Internet. Éric Horvitz et Jure Leskovec, deux chercheurs de Microsoft, ont analysé près de 30 milliards de conversations électroniques sur un panel de 180 millions d'utilisateurs de Live Messenger entre 2006 et 2008. L'étude révèle une moyenne de 6,6 contacts avant de pouvoir parler à une personne quelque part dans le monde qui ne figure pas sur sa liste de contacts. Dans 78 % des cas, 7 contacts intermédiaires sont nécessaires. Nous serions donc à 7 degrés de distance de qui que ce soit !... À condition de chercher à entrer en contact. Et il semble que nous ayons déjà du mal avec ceux que nous croisons tous les jours, j'ai nommé, nos voisins !

Les voisins

Invités autour d'une magnifique paella préparée par le couple qui nous reçoit, nous sommes une dizaine de voisins. Rires, plaisir à être ensemble, nous échangeons les dernières nouvelles du quartier. Certains courent ensemble régulièrement, d'autres s'entraident, échangent des recettes. Nous sommes entourés de gens qui s'apprécient entre eux. Quelle chance d'avoir de si chouettes voisins ! « Mais c'est grâce à vous ! s'exclamèrent-ils. Avant le méchoui, on ne se connaissait pas ! On vivait depuis vingt ou trente ans à côté les uns des autres sans se parler. Il aura fallu les Parisiens pour qu'on se découvre ! »

En effet, un an après notre arrivée, nous avons offert un méchoui. Nous avons invité tout le quartier, faisant fi des préventions « Attention, n'invitez pas untel ». Notre position était claire. Nous ne connaissons personne, nous ne sommes pas au courant des guerres passées, nous invitons tout le monde. Et tous ont mis la main à la pâte. Le mouton a cuit sur le barbecue abrité d'un voisin, chacun a apporté un plat d'accompagnement. Et quelques verres de rosé et parties de boules plus tard, tout le monde était copain. Certains ne s'étaient pas parlé depuis plus de vingt ans. Ils n'avaient besoin que d'une permission pour renouer le dialogue et sortir des idées et projections qu'ils avaient les uns sur les autres. Quelques-uns se sont même découvert de véritables amitiés. Nous avions bien vu que la communication était restaurée, mais nous n'avions pas mesuré jusqu'à ce jour à quel point notre arrivée et surtout ce déjeuner partagé avaient modifié l'atmosphère du quartier.

Mon compagnon et moi étions très émus et abasourdis du pouvoir de cette simple invitation. Nous n'avions rien fait de spécial. Ce n'est pas notre personnalité qui était en jeu. Les habitants de ce quartier étaient simplement figés dans des habitudes de près de trente ans. Si les Parisiens, donc des gens extérieurs au quartier, les invitaient, ils pouvaient se reparler sans perdre la face. Nous avons joué le rôle de tiers facilitateur. Dans tout conflit, ouvert ou larvé, l'intervention d'un tiers permet le déblocage de la situation. Quel que soit ce tiers, à condition bien sûr qu'il ne prenne pas parti ni ne jette d'huile sur le feu.

De bonnes relations de voisinage sont importantes parce qu'elles donnent un sentiment de sécurité. Les saluts dans les escaliers de l'immeuble, dans la rue, sont plus fréquents et plus chaleureux après un dîner ensemble.

Selon une enquête du CREDOC [1], seuls un quart des français invitent leurs voisins à manger, même occasionnellement. 17 % seulement des Parisiens, contre 1/3 des habitants en zone rurale. Plus on a de voisins, plus il est facile de les croiser au quotidien comme dans les grandes villes, moins on les invite. En 1990, dans le XVIIᵉ arrondissement, un groupe d'amis créent l'association « Paris d'amis » pour renforcer les liens de proximité et se mobiliser contre l'isolement. Ils lancent l'idée d'*Immeubles en fête*. L'événement précurseur de *La fête des voisins* [2], née en 1999. Le succès est immédiat puisque 800 immeubles y participent, permettant de mobiliser plus de 10 000 habitants ! En 2000, grâce au soutien de l'Association des Maires de France,

---

1. Une enquête du CREDOC : *Consommation et Modes de Vie*, n° 173, février 2004.
2. http://www.immeublesenfete.com

30 municipalités parrainent l'opération. L'Association des Maires de France, l'Association des Maires de grandes villes de France et l'Union nationale HLM s'impliquent fortement. Désormais, un jour par an, un peu partout, au mois de mai quand la température permet les repas dehors, s'organise le déjeuner de la rue, de l'immeuble ou du quartier. Lors de la 9ᵉ édition, le 29 mai 2008, plus de 8 millions d'Européens se sont mobilisés dont 6 millions de Français.

Les gens n'avaient besoin que d'une permission ! Nos parents nous ont tellement répété : « Ne parle pas à des gens que tu ne connais pas », que même adultes, nous conservons une certaine hésitation à entrer en contact avec des personnes auxquelles nous n'avons pas été présentés. « Ne pas déranger » est l'argument le plus souvent mis en avant. Manifestement, vu le succès de la fête des voisins, se parler non seulement ne dérange pas mais fait plaisir !

Mais tout n'est pas toujours rose entre les voisins.

Sentiments de trahisons, haines farouches, surveillance des frontières, les guerres de voisinage sont fréquentes. Et on ne peut comprendre leur intensité qu'en introduisant le phénomène de projection. Que faire de nos fureurs et rages réprimées depuis notre enfance ? Que faire de nos peurs ? Oser les exprimer aux personnes concernées, nos parents, nous expose fortement émotionnellement. Mieux vaut se fâcher avec son voisin qu'avec ses parents ou beaux-parents, le coût émotionnel est bien moindre. Les voisins sont des gens que l'on côtoie mais auxquels aucun devoir familial ne nous lie. Leurs territoires sont limitrophes des nôtres, nous pouvons jouer avec eux nos guerres intérieures. Ils sont proches, mais nous n'en sommes pas dépendants émotionnellement. Ils sont donc vraiment une cible rêvée des projections.

Émile a été humilié et trahi par son père. Pourtant, il n'en veut pas à ce dernier. Il l'excuse, lui pardonne. En revanche, il est brouillé à vie avec son voisin de palier pour une histoire de boîte aux lettres. « Je ne lui pardonnerai jamais » clame-t-il à qui veut l'entendre. L'intensité de la haine est démesurée au regard du préjudice. Émile ne veut plus adresser la parole à son voisin. Il garde ainsi sa rage focalisée sur ce dernier, ce qui lui permet d'épargner son père.

Le juge est exaspéré. « Vous faites perdre son temps à la justice » lance-t-il en plein tribunal aux deux hommes. On ne sait plus qui est le plaignant, qui l'accusé, qui la victime et qui le bourreau. Ces deux-là sont voisins, se déchirent et se font des procès. L'animosité est palpable. On voit bien que rien ne les calmera. Leur dossier est devenu tellement épais que le juge ne le lit plus. Ils sont en conflit depuis plus de quinze ans, c'est le énième procès et le juge craque. Il leur demande d'apprendre à vivre ensemble et de réfléchir entre eux pour trouver la solution de leur différend. Si la loi pose des limites et permet des médiations, elle est impuissante face à ces haines.

Tous les jours, les tribunaux voient défiler des querelles de voisinage hors de proportion avec l'objet de la discorde. Des plaignants font des procès pour quelques mètres de haie, un droit de passage, une ombre, une branche... Les litiges semblent légers. Ils reflètent des contentieux inconscients bien plus importants.

Bien sûr, la projection s'accroche sur un fait avéré. L'accusateur se justifie, il montre qu'il n'accuse pas en l'air, les faits sont là ! Regardez ! Les faits montrent parfois une réelle injustice ou indélicatesse mais il arrive que l'accusateur prête des intentions à son voisin. Les interprétations projectives erronées sont à la source de bien des démêlés.

Ignace aime faire voler des modèles réduits avec son petit-fils. Dans le champ en friche d'une voisine, il passe la tondeuse et dessine une piste de décollage. Léon, un autre voisin, a obtenu la permission de faire paître ses chevaux dans le même champ. Il peine pour planter les piquets de sa clôture électrifiée. La terre est si dure que, par endroits, il ne peut les enfoncer. Il cherche des failles dans le sol pour planter ses ferrailles. Il se demande bien un peu pourquoi il y a une allée tondue au milieu du champ, mais n'arrivant pas à comprendre, il en fait fi et ne se pose pas plus de question. Grâce à la tonte d'Ignace, il voit mieux les failles du sol. Son fil électrique est long, il plante au mieux ses poteaux en zigzag désordonnés selon les irrégularités du sol. Le lendemain, Ignace découvre sa piste de lancement impraticable. Les piquets sont posés apparemment de manière aléatoire d'un côté ou de l'autre du chemin tracé. Une seule interprétation lui vient en tête : Léon lui cherche noise et veut l'empêcher de faire voler ses avions !

Si un troisième voisin, curieux de l'origine de cet agroglyphe, ne les avait chacun écoutés puis informés des intentions et besoins de l'autre, Ignace et Léon se seraient voué une guerre sourde.

Dans ce type de controverse, chacun étant certain de détenir la vérité, et convaincu de la malveillance évidente du comportement de l'autre, aucun n'éprouve évidemment le besoin de vérifier son interprétation. C'est ainsi que naissent nombre de haines. En réalité, ces inimitiés s'accrochent à des histoires futiles, mais satisfont d'autres enjeux. Elles focalisent sur cette cible les émotions qui ne peuvent être conscientisées.

Faire ensemble : associations, clubs et réseaux

Club de scrabble ou de bridge, club de jeunes dirigeants, club de tennis ou club photo, appartenir à un club permet de se retrouver entre gens qui partagent un même intérêt. On n'est pas forcément amis, mais on est content de partager une activité en commun. Les clubs et réseaux sont une source non négligeable de contacts. Ils proposent des activités régulières et nous « obligent » à nous rencontrer. Car souvent, comme le disait Jacques Prévert, nous laissons le temps nous séparer de ceux que nous aimons.

Les réseaux sont moins formels que les clubs. Ils se tissent autour d'intérêts communs. S'appuyant sur la théorie du Petit Monde, ils permettent de multiplier et d'optimiser nos contacts. Un contact vous relie à ses contacts, qui vous mettent en relation avec les leurs… Tout ce monde étant en relation non seulement avec vous mais entre eux, chacun tirant bénéfice à faire partie du réseau. Les réseaux permettent une bonne circulation des informations et donnent à ses membres un sentiment d'appartenance. Internet, réseau par excellence, a permis une explosion spectaculaire des offres. Différents réseaux se créent autour de thématiques ou de problématiques spécifiques. Les grands réseaux sur Internet comme MySpace ou FaceBook ont un succès croissant.

En 2008, le nombre d'utilisateurs de réseaux sociaux a atteint 580 millions de personnes au niveau mondial[1]. Dans la seule vieille Europe, 35,2 millions de personnes ont visité *Facebook* en juin 2008. Le nombre de visites est exponentiel. Hi5, Orkut de Google, ou encore trombi.com en France, copains d'avant et JDN réseau, on se relie et on se retrouve sur le net. En France, on comptabilise 16 millions d'utilisateurs de réseaux sociaux, sans compter la blogosphère, que

---

1. Chiffres de ComScore – comscore.com

l'on peut aussi considérer comme un réseau émergent. Avoir sa page sur un réseau est assez valorisant, toutes sortes de gens, qui partagent des passions proches des vôtres ou simplement cherchent à faire du lien, veulent être votre ami. Clairement, trente amis sur le net ne remplacent pas les amis en chair et en os, mais quand on se sent désiré, attendu, lu, impliqué, relié, on se sent mieux, on respire plus tranquillement, et il est probable qu'on soit plus ouvert dans la vraie vie et donc qu'on s'y fasse plus d'amis.

50 000 associations se créent chaque année en France. Les motivations à faire partie d'une association sont multiples. Travailler dans une association vous donne beaucoup de signes de reconnaissance sans avoir à prendre le risque de l'intimité. On fait ensemble, on est dans la réalisation d'une tâche, une tâche qui a du sens, qui porte des valeurs, on se sent important, utile. On reçoit des remerciements et on est dans l'activité. S'engager dans une association est aussi une occasion de valorisation personnelle et d'épanouissement. Cela permet de développer des compétences de prise de parole, de comptabilité, d'animation de réunion... Mais les jeux de pouvoir font rage dans les associations parce que justement beaucoup de gens les utilisent pour fuir l'intimité.

Les amis

Les amis sont ces gens dont on se sent aimé et que nous aimons profondément. Ce sont les personnes que nous acceptons dans notre espace intime. Ceux auxquels on peut se confier sans risquer d'encourir des jugements. Ce sont ceux sur qui on peut compter, ceux qu'on appelle en cas de gros pépin à trois heures du matin sans craindre de les déranger parce que nous savons qu'ils seront là pour nous et que nous ferions de même. La relation amicale suppose une réciprocité sur la durée. Parfois, un ami devient un ami, parce que nous le voyons tous les jours, nous le côtoyons, et l'habitude fait la relation. Vivre ensemble les mêmes choses, ça soude. Il y a les amis avec lesquels nous partageons des valeurs, ce qui nous donne une grande confiance en eux, même si nous ne les voyons pas très souvent. Il y a les amis ponctuels, ceux avec lesquels on partage une tranche de vie, puis les existences divergent, on ne se voit plus, mais rien ne dit qu'on ne se retrouvera pas au coin d'un événement, d'un hasard, ou d'un désir. La vie est longue. Et il y a les amis de toujours. Ceux rencontrés dans l'enfance ou l'adolescence et avec lesquels nous nous sentons tout simplement en lien. Parce que nous avons partagé des moments fondateurs de notre personnalité, parce que nous avons été les témoins de la vie de l'autre pendant un temps et qu'ils savent accepter et comprendre nos attitudes au-delà des apparences. Cet ami de toujours nous comprend de l'intérieur et ne juge jamais. Il ne vous juge pas et vous ne le jugez pas parce que vous êtes intimes, parce que vous ne cherchez pas à lui montrer une façade, parce que vous n'avez pas peur de lui montrer vos détresses et vos insuffisances, parce que vous avez vécu ensemble des émotions.

Pensez à votre meilleur ami. Quand l'est-il devenu ? Très probablement lors de circonstances à fort contenu affectif. Le partage des émotions est ce qui nous permet de nous sentir proches les uns des autres. On dit même que c'est dans l'épreuve que se reconnaissent les amis. C'est-à-dire au moment où l'on éprouve de violentes émotions.

Oriane a découvert des amis quand son cancer a été diagnostiqué. Jusque-là, elle ne voulait jamais montrer aux autres ses faiblesses. Elle arborait un masque de fille « forte », elle s'occupait beaucoup des autres et semblait n'avoir, elle, jamais besoin de rien. La chimiothérapie l'a tellement fatiguée et diminuée, qu'elle n'arrivait plus à mettre son masque. Sous la pression des circonstances, elle a osé être elle-même et demander de l'aide autour d'elle. Elle a été stupéfaite de découvrir l'attention, la tendresse de son entourage. Elle s'est sentie aimée. Oriane n'imaginait pas que les autres pouvaient avoir tant d'amitié à son égard. Elle donnait beaucoup avant mais elle avait oublié la loi de réciprocité. En acceptant enfin de recevoir, elle rétablissait la balance et les autres étaient heureux de pouvoir donner à leur tour.

L'amitié est une richesse infinie, elle nous nourrit en profondeur. Il suffit souvent de téléphoner à un ami pour se sentir rasséréné face à une difficulté. On se sent moins seul à faire face à la vie et à ses vicissitudes. Pourtant, nos rapports avec nos amis sont parfois conflictuels.

Manon se plaint de son amitié avec Tiffany : « Tu n'es pas assez disponible pour moi. » Manon est perpétuellement déçue, les autres ne sont jamais à la hauteur. Ses attentes sont démesurées.

Hélas, nous abîmons souvent nos relations en projetant notre histoire familiale. Avec nos amis, nous avons tendance à reproduire les relations plus ou moins conflictuelles vécues avec nos frères et sœurs. Frottements, tensions, jalousies, rivalités, quand ça coince, regardons dans le rétroviseur. Est-ce que la situation ne ressemble pas à notre passé ? Ou serait-ce une situation en miroir ? Surtout quand les choses se répètent, nous devons avoir à l'idée que quelque chose de notre histoire tente là de se rejouer. Nos amis ne peuvent combler des attentes qui ne les concernent pas. N'attendons pas d'eux des guérisons qu'ils ne peuvent nous donner. Osons plutôt l'intimité, le contact cœur à cœur. C'est si précieux, une amitié !

Faut-il faire confiance, peut-on tout dire ? En fait il s'agit de réfléchir surtout à nos motivations à dire. Nous pouvons être amenés à confier des secrets, des informations pour nous faire valoir auprès de quelqu'un. Héloïse a pour habitude de dire qu'elle fait trop confiance. En réalité, elle n'arrive pas à se retenir de parler. Combien de fois est-elle sortie d'un rendez-vous en se disant : « Pourquoi j'ai été lui raconter cela ? » Elle l'a fait, comme nous tous, pour prendre des points. Être détenteur d'une information est très valorisant.

La désillusion, le sentiment de trahison peuvent être grands quand on a le sentiment d'avoir fait confiance, mais était-ce de la confiance ? Souvent, cette confiance trahie n'était en fait que jeux psychologiques. Si une situation se répète, nous pouvons en conclure que nous sommes complices de ce qui nous arrive.

Nelly et Gabrielle étaient des amies intimes. Tout à coup, Gabrielle a disparu. Elle n'appelait plus, ne répondait plus aux messages laissés sur le répondeur et quand Nelly parvenait à la joindre, elle avait toujours une bonne raison pour dire « je te rappelle » et elle ne rappelait pas. Le temps a passé. Plusieurs années plus tard, elles se retrouvent et reviennent sur ce qui s'est passé. Nelly s'imaginait avoir fait quelque chose qui avait blessé Gabrielle. Mais non, cette dernière lui donne la clé de son attitude : « Tu étais la seule personne à qui j'avais parlé de mon infidélité. Quand j'ai décidé de ne pas quitter mon mari et de faire une croix sur mon aventure, j'ai préféré ne plus te voir. Je savais que je t'en avais parlé. Et chaque fois que je te voyais, je repensais à mon amant. Je ne voulais pas avoir cette image du passé sans cesse devant les yeux. »

À un psychothérapeute on peut vraiment tout dire, pas seulement parce qu'il est sans jugement, et que ce qui lui est dit est couvert par le secret professionnel, mais surtout parce qu'il reste une parenthèse dans votre vie. Je ne suis pas en train de dire qu'il vaut mieux ne pas confier vos secrets intimes à vos amis, mais seulement que cela comporte des risques. Quelqu'un vous en a trop dit au bureau ? Il peut s'éloigner de vous parce qu'il vous en veut de connaître une autre image de lui que celle qu'il affiche.

Ce n'est que lorsque les situations se répètent, que nous avons intérêt à nous poser la question du bénéfice inconscient que nous retirons de ces échecs répétés. Sinon, les gens s'approchent et s'éloignent de nous pour des raisons qui les concernent. Souvent, quand une personne ne veut plus nous voir, nous nous posons la question : « Qu'est-ce que j'ai fait ? » Il serait plus judicieux de se demander « que s'est-il passé ? ». Nous sommes baignés dans des interactions complexes, gardons-nous de simplifier à l'extrême.

Avez-vous suffisamment d'amis ? Souvent la timidité est un frein. Amina a peu d'amis. Quand je lui demande de noter sur un dessin les personnes autour d'elle qu'elle admire, elle en met un certain nombre. Mais lorsque j'évoque la possibilité qu'elle s'approche plus intimement de ces personnes, elle recule : « Ils ne vont pas s'intéresser à moi. » L'une lui semble proche de ses valeurs et lui paraît vraiment sympathique et chaleureuse. Amina se rétracte : « Elle n'a pas besoin de moi, elle a sûrement déjà des amis ! » Comme si une fois qu'on avait son quota d'amis, on fermait la porte ! C'est la timidité qui nous ferme des portes !

La timidité

« Je suis le premier ? Je vais attendre dehors. » Jacques n'aime pas être seul à une table de restaurant. Il se sentirait objet du regard des autres. Il ne lui vient pas à l'idée qu'il pourrait être sujet, se dire « je suis le premier, chouette, je vais choisir une table pour nous et me préparer à accueillir celui que j'attends ». Il ne se sent pas investi de la responsabilité de l'accueil. Pour moi, cette dynamique sujet/ objet est à la racine de la timidité. Si nous sommes objet, nous sommes dépendant des autres, des situations, et éprouvons donc des peurs inhérentes à cette dépendance. Lorsque nous sommes sujet, nous sommes au contrôle de notre vie.

Les timides sont des prisonniers intérieurs. Ils savent ce qu'ils aimeraient faire, mais ne le font pas. Ils obéissent aux ordres de leur parent intérieur : « Tu seras ridicule, ne lève pas la main, n'y va pas, qu'est-ce que les autres vont penser... » Ils se dévalorisent, ont une image d'eux-mêmes plutôt négative. Parler aux autres nécessite de se croire un minimum capable d'intéresser, c'est-à-dire d'avoir quelque chose en soi de suffisamment intéressant pour que les autres aient envie de nous écouter, de nous rencontrer.

Les travaux du psychologue américain Philip G. Zimbardo sur la timidité menés sur près de 5 000 personnes ont montré qu'elle est un fait banal, très répandu et universel. Plus de 80 % des gens avouent avoir été timides à un moment ou l'autre de leur vie, soit qu'ils le soient encore, soit qu'ils l'aient été un jour, ou bien encore qu'ils se reconnaissent comme des timides chroniques. Parmi eux, 40 % des gens se jugent timides actuellement. Quatre personnes sur dix ! La timidité varie selon l'âge, la période la plus difficile étant l'adolescence. Vers 12, 13 ans, les scores montent à 60 % de timides.

4 % de la population générale se dit timide tout le temps, dans toutes les situations et avec pratiquement tout le monde. La plupart des gens sont timides de temps en temps, selon les circonstances ou dans des situations spécifiques comme parler en public, mais cela peut être suffisant pour vous limiter professionnellement. La timidité est aussi répandue chez les hommes que chez les femmes. Et elle ne se voit pas forcément. Si certains rougissent et cherchent à se

fondre dans le décor, d'autres au contraire deviennent agressifs, désagréables, parlent sans cesse, font les idiots. Nombre d'acteurs se disent timides. Un célèbre avocat raconte qu'il est devenu un grand orateur parce qu'il lui fallait cacher sa timidité.

Moins d'une personne sur cinq déclare ne pas être timide. C'est peut-être une question de définition, mais pour ces hommes et ces femmes, le terme ne s'applique pas à eux. Cependant, et c'est intéressant à signaler, la plupart d'entre eux reconnaissent éprouver parfois dans certaines situations sociales quelques-uns des symptômes physiques associés à la timidité, comme le fait de rougir, d'avoir le cœur qui bat plus fort ou d'avoir l'estomac noué ! Ces timides de situation ne se perçoivent pas comme tels. Ils ne se labellisent pas timides et motivent leur malaise momentané par l'événement extérieur. Dans le jargon psy, on dit qu'ils externalisent la cause. En fait, tout le monde éprouve diverses sensations et émotions dans certaines situations de stress. Les timides interprètent ces émotions et sensations comme des preuves de leur inadéquation, des démonstrations de leur timidité. Tandis que les non timides accueillent ces mêmes sensations avec flegme et les jugent naturelles dans la situation.

Le psychologue social André Modigliani a étudié ce que disaient les gens quand ils avaient raté quelque chose. Pour sauver la face, celui qui a confiance en lui va trouver des excuses dans l'environnement : « ces lumières fluorescentes m'ont empêché de... ». Il va faire étalage d'autres talents et dénigrer la tâche ratée. Il va nier l'échec : personne n'aurait pu faire mieux. Ou se faire rassurer : « J'espère que je n'ai pas perturbé les résultats. » Les personnes qui ont confiance en elles externalisent la cause de leur échec et protègent ainsi leur image d'elles-mêmes. Mais les timides ont trop peu d'estime d'eux-mêmes. Ils ne cherchent pas à ménager leur amour-propre, ils sont habitués à leur image négative. Face à l'erreur ou l'échec, ils internalisent, c'est-à-dire qu'ils s'attribuent l'entière responsabilité de la faute.

Les causes de la timidité sont variées. Bien sûr, si vous avez des parents timides, vous risquez de l'être aussi. Si papa et maman parlaient aux gens dans la rue et invitaient souvent, cela vous semble tout naturel, vous les imitez. À moins qu'ayant éprouvé de la honte face à leurs comportements excessifs, vous en ayez pris le contre-pied. Certaines phobies semblent remonter à la période fœtale. Mais la plus grande partie des phobies sociales sont liées à des expériences vécues dans la famille, à l'école, dans un club d'activité périscolaire, ou même dans le voisinage, de moquerie, de honte, d'humiliation ou toute forme d'exclusion sociale.

Le problème de la timidité est qu'elle est fréquemment interprétée comme une marque de supériorité ! Si, si ! Le comportement de retrait peut être vécu comme de l'arrogance, comme une marque de prise de pouvoir sur autrui. Convaincus de ne pas savoir quoi dire, craignant d'être mal reçus ou de ne pas être à la hauteur de la situation, les timides ne briguent pas les postes à risque, ne se proposent pas pour aider. Ils évitent toute situation qui pourrait provoquer chez eux de la gêne, ils prennent peu de responsabilités et peuvent être considérés comme des planqués. Constatant que le timide ne fait pas un pas vers eux, les autres en déduisent qu'il les juge inintéressants. Les timides ne donnent pas d'information sur leurs sentiments, ils ne disent pas ce qu'ils pensent, laissant de l'espace aux fantasmes paranoïdes des autres. Et puis, neurones miroir obligent, la timidité des uns met les autres mal à l'aise. Les timides sont donc souvent rejetés. Ce qui les rend plus timides encore, etc.

La douleur de l'exclusion sociale

Au lycée, le professeur propose de réaliser un socio-gramme. C'est-à-dire un diagramme des relations entre les élèves. Il fait passer une liste des élèves et demande à chacun de noter par écrit avec qui il a envie de travailler et avec qui il n'a pas envie de travailler pour un projet spécifique. Céline se souvient que l'enseignant avait dit « ceux qu'on aime » et « ceux qu'on n'aime pas ». Ensuite les votes étaient dépouillés et le diagramme tracé. Des flèches bleues allaient vers « ceux qu'on aime » et des flèches rouges vers « ceux qu'on n'aime pas ». L'exercice est intéressant mais le pro-fesseur n'avait aucune formation pour le manipuler et il a eu un effet dévastateur pour Céline. En effet, toutes les flèches rouges convergeaient vers son nom. Le sentiment d'exclu-sion a été abyssal. Elle n'a pas pu en parler à l'époque. Vingt ans plus tard, elle est plus que réservée. Le sentiment d'exclusion l'accompagne en permanence. Dans tous les groupes qu'elle côtoie ou tente d'intégrer, elle éprouve cette même impression.

Que s'était-il passé ? Qu'avait-elle fait pour obtenir une telle unanimité de flèches rouges ? Elle était seulement tombée sur une chaise cassée. Revenons en arrière. Tout au long de ses années de collège, elle avait eu beaucoup d'amis. Jeune fille ouverte, dynamique et drôle, c'était une période d'épanouissement. Suite au déménagement décidé par ses parents, elle est arrivée au lycée dans cet internat avec trois mois de retard par rapport aux autres. Ce matin-là, la direc-trice l'a accompagnée dans la classe qui avait débuté. Elle se souvient de cinquante paires[1] d'yeux braqués sur elle. L'enseignante lui a indiqué un pupitre. Elle s'est assise sur la chaise... Crac ! la chaise s'est effondrée. Céline est tombée

---

1. C'était un internat de filles, il y a trente ans.

sur les fesses, déclenchant un rire général quoique immédiatement stoppé par l'enseignante. Mais le mal était fait, elle
avait vécu une humiliation publique. L'enseignante a fait
stopper les rires, mais n'a pas mis de mots sur les sentiments de Céline, ni sur la difficulté d'entrer dans un groupe
constitué, ni sur comment accueillir une nouvelle... Elle n'a
pas fait parler les enfants sur leurs ressentis, sur ce qui s'était
passé en eux quand elle était tombée. Les enfants ont été
laissés à la merci de leurs mécanismes psychiques et psychosociaux inconscients.

Elles étaient un groupe de cinquante. À la récréation,
aucune de ces lycéennes n'a pu aller vers Céline, une fille
identifiée comme victime. Il est très coûteux émotionnellement de se différencier d'un groupe surtout si ce dernier est
insécure. L'ensemble des filles avaient ri. Elles s'étaient
ainsi désolidarisées de la victime et avaient tracé une ligne
invisible séparant dominants et dominés. Aucune des filles
ne pouvait oser braver cette loi invisible sous peine d'être
rejetée elle aussi de l'autre côté de la frontière. Dans un
climat d'insécurité, comment ne pas préférer s'allier aux
dominants et suivre la position du groupe. De plus,
l'opprobre jeté sur la victime risquait de rejaillir sur quiconque se serait approché. Céline devenait contagieuse !

Pour toutes ces raisons, si vous êtes rejeté par une personne ou par un groupe, les autres vont aussi vous rejeter.
Si vous êtes incluse, les autres vont vous inclure. Si ne
serait-ce qu'une fille avait eu le courage de s'opposer au
groupe et de venir vers elle, Céline aurait pu sortir de la spi-
rale destructrice et se faire des amies. « Si une telle est son
amie, elle doit avoir quelque chose de bon. » Mais personne
n'est venu et Céline n'a pas osé non plus aller vers qui que
ce soit... Elle ne savait pas comment gérer cet événement et
personne ne l'y a aidée. Elle a vécu trois années d'exclusion
dans cet internat qui l'ont marquée à vie.

Naomi Eisenberg[1] et ses collègues ont utilisé l'IRM fonctionnelle (imagerie par résonance magnétique) pour suivre l'activité cérébrale de leurs treize volontaires. Allongé dans la machine à IRM, l'étudiant devait jouer à un jeu électronique en réseau. Un principe de jeu simple : les joueurs se passent une balle. Au cours d'un premier test, le volontaire est informé qu'un problème technique l'empêche momentanément de recevoir la balle. Au cours d'un second test, il se trouve sciemment exclu de la partie. Au cours de cette phase d'exclusion, les chercheurs ont observé une forte activité dans le cortex cingulaire antérieur (CCA), une zone impliquée dans la douleur physique mais aussi dans les interactions sociales. Quand une mère entend son enfant pleurer son CCA s'active. Chez certains participants de l'expérience devant leur écran de jeu, une autre zone entrait en action, le cortex préfrontal ventral, zone impliquée dans la régulation de l'angoisse liée à la douleur, ce qui diminuait l'activité du CCA. Les chercheurs en ont déduit que, comme pour la douleur physique, le cortex préfrontal ventral venait atténuer la peine ressentie par la personne exclue. Cette similitude entre les deux mécanismes montre que le besoin de relations sociales est aussi basique et ancien que la faim ou la soif estime Matthew Lieberman, l'un des auteurs[2]. Faim, soif ? C'est peut-être parce que ce sont des besoins qui nous sont aussi essentiels les uns que les autres que nous rencontrons volontiers les copains et les amis autour d'un verre ou d'un repas. « Je vous offre un café ? », « Tu viens boire un pot ? », « Voulez-vous que nous déjeunions ensemble jeudi ? », « Restez donc dîner ». Offrir de partager la nourriture est une invitation à approfondir la relation.

---

1. SCIENCESETAVENIR.com, Quotidien perm@nent. http//:permanent sciencesetavenir.com/sci_20031010.OBS7862.html?1422
2. Sciencesetavenir.com

Inviter à dîner

Partager la nourriture, manger ensemble, crée des liens. Le commensal, celui qui mange à la même *(cum)* table que vous *(mensa)* devient vite un copain voire un compagnon. Ces deux mots ont la même étymologie latine et dérivent de *cum* : avec / *panis* : pain. Copains et compagnons sont ceux avec lesquels on partage le pain. Manger ensemble est un signal d'amitié.

Le repas pris en commun est un incontournable de la relation humaine. Lors des événements importants de la vie, un mariage, un enterrement, on offre un repas un peu partout dans le monde. Il faudrait un livre entier pour évoquer les rituels autour de la nourriture partagée. Lors d'un mariage en Inde, on mange très vite et on s'en va dès la dernière bouchée avalée pour laisser la place aux suivants. Dans les mariages traditionnels, les Japonais mangent d'un air grave et en silence. Les Français restent des heures à table, parlent, s'attardent. Chaque culture a son style, mais la présence de la nourriture partagée est transculturelle. Aliments tabous, interdits et prescriptions alimentaires, les religions se sont toutes intéressées à la nourriture, codifiant les aliments purs et impurs, traçant des frontières entre les hommes et les peuples. Tous les pouvoirs ont cherché à diviser pour mieux régner, et quel meilleur outil que celui de la nourriture pour diviser. Quand on ne peut plus manger à la même table, comment se sentir co-pain ?

Manger, c'est partager non seulement la nourriture, mais un bon moment avec les autres. Dans la famille, on se retrouve autour du repas du soir. On rencontre la famille élargie lors du traditionnel repas du dimanche. Si la messe de Noël a perdu de l'audience, le repas de Noël continue de faire florès. Les amoureux se séduisent autour d'un dîner aux chandelles. Les repas d'affaire permettent de négocier des contrats. On se fait régulièrement des « bouffes » entre amis pour s'amuser, rire, partager de bons moments et sceller l'amitié. Les repas entre copains renforcent le sentiment d'appartenance. Les repas entre collègues soudent les équipes.

Partout dans le monde, manger ensemble, c'est tisser un lien. Et inviter à dîner signifie désirer entrer en relation, montrer son désir d'amitié.

Invitez-vous souvent votre famille, des amis, des connaissances ou vos voisins à dîner ? Une enquête du CREDOC[1] nous donne quelques chiffres : 73 % des Français entre 25 et 70 ans invitent au moins une fois par mois quelqu'un chez eux. Et 93 % des Français disent aimer recevoir chez eux pour un repas.

Quand on invite, on invite. Pas question de mettre l'invité à contribution. Quoique, les choses changent. Si plus d'un Français sur deux refuse toute aide quand il reçoit, cela signifie tout de même que 45 % l'acceptent ! Le formalisme et les traditions cèdent peu à peu la place à davantage de convivialité. 63 % des gens disent que ce qui fait d'un dîner une réussite est l'ambiance conviviale. Bien avant le contenu des assiettes et des verres (12 %) ou même la qualité de la conversation (13 %). Si le mot vient de convivium, conviva, convive, celui qui est invité à un repas, l'épicurien Jean Anthelme Brillat-Savarin[2] a introduit le terme de convivialité pour décrire le plaisir pris à prendre part à un festin, à être ensemble. Le terme a depuis accepté les connotations de

1. Centre de Recherches pour l'Étude et l'Observation des Conditions de vie. *Consommation et Modes de Vie*, n° 173, février 2004.
2. Jean Anthelme Brillat-Savarin, illustre gastronome français né en 1755 à Belley et mort en 1826 à Paris. Le fromage Brillat-Savarin a été nommé ainsi pour lui rendre hommage.

simplicité. Convivial est devenu synonyme de sympathique et chaleureux, un repas sans *chichis*.

Un Français sur quatre est susceptible de demander occasionnellement de l'aide à ses invités dans la préparation du repas. 12 % acceptent que les invités débarrassent les couverts sales et 10 % acceptent même de l'aide pour la vaisselle. Accepter ou demander de l'aide est plus fréquent chez les jeunes, les célibataires et chez les hommes. Il est vrai que les attentes ne pèsent pas sur eux de la même manière que sur une femme ! Pour une femme, se laisser aider peut encore être difficile, même si elle n'est plus « femme au foyer » : c'est une question d'image. Malgré l'évolution de la société, elle porte encore souvent le devoir de montrer qu'elle est une bonne ménagère.

En France, une invitation à dîner est prise au sérieux et les codes sont respectés. Neuf personnes sur dix mettent un point d'honneur à arriver à l'heure. Deux sur trois de manger tout pour honorer leur hôte, et autant à éteindre leur téléphone portable. Deux personnes sur trois apportent systématiquement un présent d'un montant entre dix et cinquante euros.

Quelques chiffres encore pour détendre les maîtres et maîtresses de maison. À la question : « Qu'est-ce que vous détestez le plus quand vous êtes invité ? » les réponses sont éloquentes :

40 % quand la conversation est sans intérêt.

21 % quand on aborde des sujets délicats.

19 % quand ça traîne en longueur.

10 % quand on mange et boit beaucoup.

5 % quand il y a peu à manger et à boire.

3 % quand la cuisine est quelconque.

2 % quand une table n'est pas décorée.

Bref, le principal est la conversation !

Vous n'invitez jamais personne ? Au-delà de la nourriture et du repas, inviter chez soi c'est exposer son intérieur au regard de l'autre. Certains ont honte de leur intérieur... Au-delà de l'intérieur de leur maison, c'est en réalité de l'intérieur d'eux-mêmes dont ils ont honte. Une honte consciente ou non, résultat d'une histoire d'humiliation non guérie dans le passé.

La plupart des gens rangent et nettoient leur appartement quand ils ont des invités. « C'est bien d'avoir des invités, ça m'oblige à ranger ! » confie Delphine. Faire visiter son lieu est un usage assez répandu en France. L'objectif réel mais pas toujours conscient n'est pas tant d'exposer son lieu de vie, que de donner de la sécurité à ses hôtes. Chacun se sent plus en confiance dans une maison après en avoir visité les pièces, que dans une maison où il n'a eu que l'autorisation que s'asseoir dans le salon.

Les relations, ça fatigue et ça nourrit

C'est vrai, être en présence d'autrui requiert de l'énergie. On ne se laisse pas vraiment aller, sauf avec les amis, et encore. Notre « éducation » a souvent consisté à placer des filtres, à mettre des masques pour se faire accepter. Nous avons appris à déguiser nos sentiments, à nous montrer comme nous imaginons que l'autre attend que nous soyons. Quelle fatigue à vouloir paraître à tout prix ! Un dîner passé à dissimuler ses sentiments peut être épuisant. Si l'intimité nous nourrit, le sourire forcé, la conversation convenue sont pesants. Être est ressourçant. Paraître est épuisant.

Si nous évitons les relations humaines, c'est aussi parce qu'elles peuvent faire mal quand elles s'arrêtent ou nous frustrent. Sarah ne s'engage plus vraiment affectivement depuis qu'elle a été trahie par une amie très proche. Elle ne veut pas revivre cette blessure. Elle est entourée, mais est attentive à rester dans des relations superficielles. Dès qu'un ou une amie cherche à rentrer plus avant dans son intimité, elle rompt. Et puis, les relations demandent du temps, de l'attention et de l'énergie. Tout contact suscite des émotions, des conflits naissent fatalement du frottement de deux personnalités. Des conflits, pas des disputes. Si une relation est vivante, les confrontations de points de vue, de sentiments, de pensées, sont inévitables. Elles signifient que les personnes osent être elles-mêmes, et se parler vrai. Quand il n'y a jamais de conflit cela signifie qu'un des deux protagonistes n'existe pas dans la relation. Quand on évite systématiquement le conflit, la relation se fausse ou les gens se séparent.

Une relation, ça s'entretient, ça se nettoie régulièrement, c'est un travail de régulation, de vigilance à soi comme aux autres.

Nombre de nos relations sont contextuelles, c'est-à-dire qu'elles sont nées dans un contexte spécifique. Il arrive que le contexte changeant, nous n'osions poursuivre les relations. Le chômage et la retraite posent ainsi de gros problèmes d'isolement social. Quand vous ne travaillez plus, non seulement vous pouvez éprouver des sentiments d'inutilité, non seulement vous ne recevez plus de gratifications du fait de voir le résultat de vos actions, la fierté du travail accompli, de l'objet réalisé ou du service rendu, mais vous êtes en déficit social.

De temps à autre, Robert va en ville, s'assied à une terrasse et parle aux gens. « Je parlerais même à un mur » dit-il. Hélas, il tombe souvent sur des murs. Les gens auxquels Robert s'adresse ne sont pas forcément disponibles pour lui et probablement reculent devant l'intensité de ses attentes. Son besoin de communiquer est disproportionné, mais surtout, il l'adresse aux mauvaises personnes. Il ose aborder les gens au café, mais n'ose pas aborder ceux qui lui apporteraient vraiment la chaleur dont il a besoin. Voici son histoire.

Robert est à la retraite depuis deux ans et a sombré dans la dépression. Employé dans la maintenance d'hélicoptères, il a eu une vie professionnelle riche où la camaraderie tenait une grande place. « C'était comme une famille. On se voyait tous les jours, c'étaient des amis. Le soir, souvent, on buvait un coup. Du jour au lendemain, je n'ai plus vu personne. J'ai touché le fond. Ça m'a manqué de ne plus les voir. »

Ça m'a manqué de ne plus les voir ! Il dit cela. Je lui demande s'il a gardé des contacts avec ses camarades. Non, depuis deux ans qu'il est à la retraite, il n'a jamais revu personne, il n'a jamais téléphoné, il n'est jamais passé les voir ou proposé de boire un coup avec eux. Robert n'est pas le seul à vivre ce terrible déficit social. Et nombre de retraités qui déménagent à la campagne sans avoir suffisamment préparé leur retraite se trouvent dans un isolement qui n'est pas étranger à leurs problèmes de santé.

« J'ai un pincement au cœur quand je passe devant la boîte » dit Robert, mais il ne pense même pas qu'il pourrait entrer, qu'il en a le droit, que la chose la plus importante dans l'existence, ce sont les relations que nous avons avec les autres.

Un compliment, un sourire, un ami qui nous enlace avec joie sont des **signes de reconnaissance**... Nous avons été habitués à croire que ce ne sont que de petites choses insignifiantes. En réalité il s'agit de ce qui fait le sens de la vie et même nous maintient en bonne santé !

Nous avons absolument besoin de **contacts sociaux variés**. Amis, famille, copains, collègues, clubs et associations, la diversité des contacts est une richesse.

4.

Pourquoi vous « tombez » toujours sur les mêmes personnes

C'est un fait, nous avons une fâcheuse tendance à la répétition. C'est vrai dans la sphère amoureuse, mais aussi au travail. Martin « tombe » tout le temps sur des patrons autoritaires et dévalorisants. Mireille ne déniche que des séducteurs. Sylvie a sans cesse des embrouilles au bureau. Elle a plusieurs fois changé d'entreprise mais chaque fois, elle a eu à supporter une collègue jalouse. À croire qu'elle le faisait exprès... Et si c'était le cas ? Inconsciemment bien sûr.

Les situations se répètent, elles se produisent parfois si souvent et si systématiquement que nous pensons que « le monde est comme cela ». Nous déduisons de notre expérience personnelle des lois générales. « Les patrons sont autoritaires et dévalorisants ». « Les hommes sont séducteurs ». « Les filles dans les bureaux sont des chipies ». Chaque répétition n'est qu'une confirmation de croyances sur soi, les autres et le monde : « On ne peut faire confiance à personne ». « Je ne sers à rien ». « Les autres sont des incapables ». « Je suis inintéressant »...

Le mini-scénario [1]

On le nomme aussi circuit du sentiment parasite. Le mini-scénario est le scénario que nous suivons au quotidien dans nos vies. C'est un circuit auto-renforçant, autrement dit une boucle rétroactive. Nos croyances engendrent des comportements qui ont une incidence sur notre entourage. L'entourage en question réagit bien sûr à nos comportements et nous déduisons de leurs réactions les croyances du départ sans vouloir prendre conscience de notre part de responsabilité. Nous refusons de voir que nous avons nous-même, par nos comportements et attitudes, provoqué les réactions des autres à notre égard. Scénario parce que l'histoire est écrite à l'avance. Mini, parce que c'est un fonctionnement qui peut prendre place en une interaction. On l'appelle circuit du sentiment parasite, on aurait pu dire de la réaction parasite, car les sentiments et émotions éprouvés et exprimés ne sont pas les véritables sentiments et émotions de la personne, mais des réactions émotionnelles mises en place justement pour pouvoir prouver les croyances préexistantes.

Pierrette est couturière. Laurence lui a confié la confection d'une robe. D'ordinaire, Laurence achète ses robes à un grand couturier. Au lieu de se sentir valorisée par la confiance de sa cliente, Pierrette se sent comparée en permanence. En fait, c'est elle qui se compare et se dévalorise à l'idée de ce grand couturier avec lequel elle croit que Laurence la met en compétition. Elle n'arrive pas à croire que cette dernière ait fait un vrai choix en la préférant. Elle est si tendue qu'elle fait des erreurs dans ses mesures. Au dernier essayage, la robe ne

---

1. Je l'ai déjà développé dans mon livre *Utiliser le stress pour réussir sa vie* paru chez Dervy en poche, et publié la première fois sous le titre *L'alchimie du bonheur* aux éditions Dervy.

va pas. Elle accuse sa cliente : « C'est de votre faute, depuis le début vous ne me faites pas confiance ! »

Nos réactions excessives viennent de nos « programmes » neuronaux, des automatismes que nous avons acquis dans l'enfance. De nos expériences enfantines, des messages reçus de nos parents, de nos contacts avec d'autres enfants, d'autres adultes, nous avons tiré des conclusions. Ces croyances guident nos comportements, ceux-ci provoquent des réactions dans l'entourage qui renforcent bien sûr nos croyances d'origine. L'expérience tend donc à confirmer sans cesse nos points de vue sur nous-mêmes, les autres et la vie en général.

Les positions de vie

Pour nous garantir la considération et la reconnaissance de ceux que nous aimons, nous avons éliminé les comportements qui paraissaient inacceptables pour eux. Les parents de Frédéric ne le désiraient pas. Ils n'ont pas su, pas voulu l'accueillir. Il lui ont fait sentir qu'il gênait, qu'il était de trop. Adulte, Frédéric continue de se faire tout petit. Partout, il tente d'apprivoiser les autres, il se met à leur service. Il se sent nul vis-à-vis des autres. Il s'évalue négativement et surévalue les autres. Je suis –, les autres sont +.

Fabrice, lui, a eu des parents autoritaires, aimants, mais très sévères. Il avait surtout peur de son papa, mais sa mère était si exigeante sous ses airs généreux qu'il se sentait toujours coupable de ne pas faire assez. De peur d'être rejeté, il a construit une image de bon garçon et a renoncé à sentir ses véritables émotions. Je suis +, les autres sont –.

David a eu des parents qui se disputaient sans cesse. Il s'est évadé dans le rêve pour ne pas souffrir. Il regarde sans voir, écoute sans entendre, parle sans signifier et vit sa vie sans la vivre. Ainsi il ne connaît plus ni joie, ni peine, ni colère, ni couleurs. Il vit sans souffrir mais sans sentir. Je suis –, les autres sont –.

Notre perception de nous-même et des autres définit quatre positions existentielles [1]. Elles sont le résultat de croyances élaborées dans l'enfance à partir de nos expériences dans l'environnement spécifique qui était alors le nôtre. Ces positions dirigent nos réactions, déterminent la forme de notre communication et la qualité de nos relations aux autres.

	JE +
Je me survalorise Je dévalorise les autres	Je m'accepte J'accepte les autres
C'est de ta faute	*Cherchons ensemble des solutions*
DOMINATION	COOPÉRATION
Mépris, pitié, colère	Colère, peur, joie, tristesse, toutes émotions réactives
Les autres –	Les autres +
Je me dévalorise Je dévalorise les autres	Je me dévalorise Je survalorise les autres
Il n'y a rien à faire	*C'est de ma faute*
PASSIVITÉ	SOUMISSION
Retrait, cynisme résignation Tristesse	Culpabilité, dévouement excessif, peur
	JE –

---

1. Les positions de vie sont un concept d'Analyse Transactionnelle.

+ + : Je m'accepte tel que je suis, je suis conscient de mes atouts et de mes faiblesses, j'exprime mes émotions, je me montre aux autres sans me camoufler, je suis moi, je m'affirme. J'accepte les autres tels qu'ils sont, je vois leurs qualités et leurs manques. Je partage mes idées et mes sentiments. Quand je ne suis pas d'accord, je le dis et je négocie. Je crois que nous pouvons fonctionner ensemble. Quand je rencontre un problème, je cherche la solution avec l'autre. Quand l'autre rencontre un problème, je l'aide à trouver lui-même sa solution, je le crois capable de la trouver. Nous sommes à égalité.

– + : Je me dévalorise, je pense que je suis moins que les autres, que je ne suis pas intéressant, pas important. Je pense que je gêne les autres qui sont tellement mieux que moi. Je ne sais pas bien faire les choses, alors je préfère que les autres le fassent à ma place. J'ai toujours peur de ne pas être à la hauteur, je joue au petit garçon ou à la petite fille pour que les autres me prennent en charge. Je n'aime pas les responsabilités, mais j'essaie toujours de bien faire, de faire plaisir pour me faire accepter. Je préfère que les autres pensent à ma place. Quand je rencontre un problème, je me dis que c'est de ma faute, je culpabilise. J'attends que l'autre le résolve à ma place.

+ – : Je suis dominant. Je pense que je suis le meilleur, que les autres ne savent pas s'y prendre. Ma phrase préférée est « On n'est jamais si bien servi que par soi-même ». Je suis autoritaire, parfois agressif, mais je peux aussi me faire mielleux, paternaliste ou mère-poule, « Il faut bien aider ces pauvres gens qui sont incapables d'y arriver tout seuls ». Je cherche à diriger les autres. J'aime avoir raison, je supporte mal d'avoir tort. Quand je rencontre un problème, je cherche le coupable, c'est de toute façon de la faute des autres. Quand l'autre rencontre un problème, je le conseille, je sais mieux que lui.

– – : C'est le désespoir. Je suis nul, les autres ne sont pas mieux, la vie est stupide. C'est de la faute aux gouvernements, au temps qu'il fait, à la fatalité, à tout le monde et à personne. Je suis tellement passif que quelqu'un va bien finir par prendre le problème en main, je ne veux pas m'en occuper. Je ne m'implique pas. Quand je rencontre un problème, j'attends, parfois je ne le vois même pas. De toute façon je sais qu'il n'y a pas de solution.

Nous conservons l'illusion d'avoir un caractère en dehors de toute interaction. Or, la réalité est toute autre. Nos réactions sont insérées dans des boucles rétroactives. Notre comportement influe sur notre interlocuteur, sa réponse guide mon attitude. Toute communication est faite de boucles rétroactives. Nous interagissons les uns sur les autres, consciemment et surtout inconsciemment.

Selon votre attitude, vous attirez l'attitude complémentaire. Si vous vous comportez de manière parentale en + –, donnant des conseils, vous aurez en face de vous une personne soumise et dépendante. Si vous vous présentez en victime, vous attirerez un sauveur ou peut-être un persécuteur.

La loi d'attraction

Si vous surfez sur le Net, si vous êtes familier de la vague New Age, ou si vous êtes un tant soit peu branché spiritualité ou développement personnel, vous en avez entendu parler. J'ai nommé la Loi d'Attraction. C'est une loi universelle qui stipule que vos pensées et vos émotions créent votre réalité. Avec la sortie du film *Le Secret*[1] en DVD et sur You-Tube, ce secret n'en est plus un pour personne.

---

1. De Rhonda Byrne.

Nous ne sommes pas aussi tout-puissants que le professent les gurus *new age*, mais nous sommes bien plus puissants que nous n'aimons à le penser. C'est une réalité, le monde est énergie et information. Information, le mot est dit. La physique quantique nous explique que chaque particule qui a été un jour en contact avec une autre est automatiquement informée de ce qui se passe pour l'autre. Le spin[1] de l'une est modifié par l'expérimentateur, instantanément, à des kilomètres de distance, le spin de l'autre change. Voici de quoi comprendre nombre de synchronies. Ainsi que je l'avais écrit dans mon tout premier livre paru *Trouver son propre chemin*[2], chaque humain sur terre inspire des molécules expirées par Jules César lorsqu'il a dit *tu quoque mi fili*[3]. Les molécules sont constituées de particules, ces particules sont informées. Et portent l'information au-dehors. Nos pensées, nos sentiments, nos actes, imprègnent les particules qui nous constituent et transmettent de l'information. On peut déduire que les désirs, les émotions, les pensées de

---

1. Le spin est une propriété quantique intrinsèque d'une particule caractérisant son comportement.

2. Éditions L'âge du Verseau, paru depuis en poche aux éditions Presses Pocket.

3. Le théorème du dernier souffle de César fait partie des problèmes que le physicien Enrico Fermi (1901-1954), prix Nobel de physique 1938, aimait donner à ses étudiants. Le physicien anglais James Jeans (1877-1946) avait ainsi posé le problème : « *On sait qu'un homme inspire environ 400 cm³ d'air à chaque respiration, et donc un seul souffle d'air respiré doit contenir environ 10^{22} molécules. La totalité de l'atmosphère terrestre contient environ 10^{44} molécules. Ainsi une molécule est dans le même rapport avec un souffle d'air respiré que ce dernier avec toute l'atmosphère terrestre. Si nous supposons que le dernier souffle de, disons, Jules César s'est complètement dispersé à l'heure actuelle dans l'atmosphère, alors il y a des chances que chacun d'entre nous inhale une molécule de ce souffle à chaque inspiration. Les poumons humains contiennent environ 2 000 cm³ d'air si bien qu'il y a des chances pour qu'il y ait dans les poumons de chacun d'entre nous environ cinq molécules du dernier souffle de Jules César.* » (www2.ac-poitiers.fr/sc_phys/spip.php?article240)

Jules César nous habitent... Mais aussi ceux des milliards d'autres personnes existant et ayant existé sur terre, ce qui limite et dilue l'influence de chacun. Nous sommes tous reliés par cet immense réseau d'informations intercon-nectées.

Nos pensées, nos désirs, influent sur la réalité, nous en avons des preuves tous les jours. Éric rencontre « par hasard » une amie à laquelle il pense depuis le matin. Urbain prie son ange pour qu'il lui trouve une place de parking et il la trouve. Monique visualise un appartement et trouve exac-tement ce qu'elle avait vu. La propriétaire d'Aurélie vient de lui signifier une substantielle hausse du loyer. Aurélie visua-lise, met de la lumière sur la situation... Puis tombe des nues deux jours plus tard quand sa propriétaire l'appelle pour lui dire qu'elle s'était trompée et que finalement le loyer est diminué ! Il semble qu'effectivement, nos pensées, nos attentes se matérialisent. Mais en ce qui concerne les rela-tions sociales, cela n'a peut-être rien de mystique ni de quan-tique.

Prophéties auto-réalisantes

Rentrée 2007, les troisièmes entrent dans la salle de cours et prennent place dans le brouhaha des chaises qu'on tire. « Personne ne vous a dit de vous asseoir ! » pérore l'enseignante. Le ton est donné. Ici nous sommes dans un rapport de pouvoir. L'objectif est la soumission. On aurait pu croire que les enfants venaient pour apprendre, non, ils sont là pour obéir[1]. Distribution des emplois du temps, de

---

1. Un collège avec une atmosphère bien différente de celle de l'école pri-maire publique Freinet où tout est fait pour autonomiser les enfants, les aider à sortir de la passivité et les inviter à exercer des responsabilités.

papiers, autorisations de sortie et autres documents sanitaires à remplir pour la énième fois par les parents, quelques règles... Ma fille n'en entend qu'une : pas de casquette ni de signe religieux ostentatoire sur la tête. L'enseignante fait ensuite un petit [1] tour de parole sur la question des projets d'orientation : un jeune ose dire qu'il aimerait se diriger vers une section internationale. Il est aussitôt cassé par la prof, selon ma fille qui, du coup, n'a rien osé dire. « C'est très dur, c'est impossible, tu n'y arriveras pas, tu ne t'imagines pas ce que c'est, tu devras suivre des cours de maths ou d'histoire en allemand, en espagnol » ce qui est faux, seulement en anglais ou en allemand, selon la section choisie. De la sixième à la quatrième, ma fille avait eu tous ses cours d'histoire, géographie et mathématiques en anglais et n'avait pas trouvé cela particulièrement ardu. L'enseignante projetait ses propres difficultés en langues sur les jeunes. Hélas, son pouvoir de prédiction était grand. Cette classe a été chaotique. De l'avis de tous les enseignants, les enfants étaient bavards et dissipés. Ce n'était pas une classe de gros durs, ils décrivaient des jeunes plutôt gentils et tout mignons mais démotivés. Comment auraient-ils pu être motivés par une telle mise en condition dès le début de l'année ? Aucun des enseignants n'a jamais pris la responsabilité de ces premières minutes qui ont donné le ton. Pourtant, peuvent-ils ignorer encore l'effet Pygmalion ?

Pygmalion, sculpteur chypriote, dénigrant la conduite impudique des femmes de Chypre s'était voué au célibat. Tombé amoureux d'une de ses statues, il l'a nommée Galatée et a supplié Aphrodite de lui donner vie. Sensible à sa supplique Aphrodite s'est exécutée. Pygmalion avait créé une femme exactement selon ses rêves et désirs. Le terme pygmalion est passé dans le langage courant pour décrire un

---

1. Tous n'ont pas été invités à s'exprimer.

homme qui forge la personnalité d'une femme selon ses attentes et Robert Rosenthal l'a utilisé pour rendre compte de la manière dont les autres répondent à nos attentes. L'expérience menée par Robert Rosenthal et Lenore Jacobson montre la puissance de cet effet Pygmalion.

Deux groupes de rat, deux groupes d'étudiants. On précise aux étudiants du groupe 1 que leurs rats n° 1, sélectionnés génétiquement, sont très performants et intelligents. Les six autres étudiants sont informés que leurs six rats n° 2 n'ont rien d'exceptionnel et que, pour des causes génétiques, il est fort probable qu'ils aient du mal à trouver leur chemin dans le labyrinthe. Les résultats furent plus que stupéfiants, certains rats du groupe n° 2 n'ont même pas quitté la ligne de départ tandis que ceux du groupe 1 ont été particulièrement brillants, confirmant les attentes des étudiants. Mais les rats n'avaient pas été sélectionnés, c'étaient des rats de laboratoire tout à fait ordinaires et rien ne différenciait les rats des deux groupes.

Après analyse, il s'est avéré que les étudiants à qui avaient été confiés des rats particulièrement intelligents leur avaient manifesté chaleur et sympathie, tandis que les étudiants croyant leurs rats stupides ne les avaient pas entourés d'autant d'affection.

Robert Rosenthal et Lenore Jacobson[1] ont voulu étendre l'expérience aux humains. Dans une école aux États-Unis, ils annoncent vouloir étudier la précocité des enfants. Ils font passer des tests de QI à l'ensemble des élèves, puis s'arrangent pour que les enseignants prennent connaissance des résultats, les laissant croire à une erreur de transmission de courrier. Les résultats qui ont filtré sont des notes distribuées aléatoirement. Notamment, 20 % des

---

1. *Pygmalion in the classroom*, Robert Rosenthal et Lenore Jacobson, 1968.

élèves se sont vu attribuer un résultat très élevé. À la fin de l'année, Robert Rosenthal fait repasser le test de QI aux élèves. Résultat : les 20 % se sont comportés comme les « super souris » ; ils ont augmenté de façon significative non seulement leurs performances scolaires mais leurs scores au test d'intelligence ! De manière générale, les résultats au test collent aux attentes. Seulement voilà, ils étaient distribués au hasard. Suite à la « fuite », les enseignants ont cru avoir des informations sur les enfants, ils ont porté un autre regard sur ces élèves. Leur attitude a été très légèrement modifiée, ils ont regardé différemment, et probablement davantage, les enfants dits particulièrement intelligents. Ces derniers, dopés par ces regards encourageants voire admiratifs, ont été « boostés » et leurs résultats témoignent non de leurs capacités intrinsèques, mais de ce dont on est capable quand quelqu'un nous croit capable !

Cette expérience nous invite à considérer avec recul les notes de nos enfants [1]. Le regard porté par l'enseignant semble déterminant sur les résultats de l'élève. Nous pouvons aussi élargir ces constatations à l'ensemble de nos rapports avec autrui. Dès lors que nous sommes en position de supériorité sur une personne, nos attentes influent forcément sur ses performances. Que nous soyons enseignant, patron, chef de service, ou même sœur aînée. Didier a besoin d'une collaboratrice de confiance. La direction lui envoie Nicole. Didier en est très content. Elle le seconde avec une efficacité qu'il n'avait jusque-là que rarement rencontrée chez une secrétaire. Le dossier de Nicole s'était égaré dans les services mais Didier n'en avait guère eu besoin. Quelques mois plus tard, le dossier arrive enfin sur le bureau de Didier. En en prenant

---

1. D'autant qu'il a été démontré que bien d'autres facteurs que le travail de l'enfant présidaient à l'attribution de la note. Voir *La constante macabre*, André Antibi, et les travaux de Philippe Meirieu. http://www.meirieu.com/

connaissance, il tombe des nues. Tout son dossier ne parlait que d'incompétence. De poste en poste, Nicole avait toujours été précédée de son dossier. Le regard posé sur elle l'avait jusque-là empêchée de donner sa mesure. Avec Didier, qui ne savait pas qu'elle était nulle, elle a montré une autre facette. Ce genre d'aventure n'est pas rare dans les grands groupes. Et pourtant, hélas, la culture des dossiers a la vie dure. Constituer un dossier sur une personne donne l'illusion de la connaître, de la maîtriser... « On sait à quoi s'attendre » dit un cadre. Oui, justement. Quand on sait à quoi s'attendre, malheureusement, les gens donnent ce qu'on attend d'eux. Quel gâchis ! Oserons-nous un jour permettre aux gens qui nous entourent de nous surprendre ? Quand une personne ne manifeste pas certaines qualités, cela ne signifie pas qu'elle ne puisse les développer. Cela signifie qu'elle est enfermée dans une image d'elle-même qui la bloque.

De manière plus globale, nos attentes envers toute personne guident ses attitudes. La quantité et la qualité de nos regards, la manière de s'adresser à elle, le ton, le volume, l'intonation, les mots utilisés, tout cela dépend de nos attentes et influe directement sur la personne et ses performances. Dès lors que nous pensons qu'untel ou unetelle possède une caractéristique, nous adaptons bien naturellement notre attitude à ce que nous croyons. Cette attitude va déclencher la mobilisation de cette caractéristique chez l'autre. Nous devenons ce que notre entourage attend que nous devenions. Vous pensez que votre boucher vous arnaque. Votre suspicion dans la boutique va l'énerver, il va peut-être bien vous arnaquer. Un mari convaincu que sa femme le trompe va la harceler pour « savoir la vérité ». Au début, elle lui racontera par le menu ses faits et gestes dans l'espoir de le rassurer, puis, constatant l'inutilité de ses dénégations, elle va finir par dissimuler certains détails pour éviter des disputes. Ce qui va confirmer au mari qu'il ne peut lui faire confiance.

Nous avons tendance à interpréter chaque geste, chaque parole à travers le filtre de nos croyances plutôt que de chercher à entrer en vrai contact avec la personne, chercher à comprendre ses motivations à agir comme elle le fait. Gardons-nous de juger autrui. La puissance de la réalisation automatique des prédictions invite à une certaine prudence.

Vos projections conscientes et surtout inconscientes sur autrui influent sur le caractère qu'il vous montre. Les autres aussi font des projections sur vous. Ne vous est-il jamais arrivé de sentir que vous êtes différent au travail ou à la maison ? Et à l'école, de vous rendre compte que vous réussissiez plus ou moins bien selon les enseignants ?

Les projections des différentes personnes de notre entourage n'ont pas toutes la même puissance. Nous subissons particulièrement l'influence de ceux dont nous sommes dépendants, nos parents, nos instituteurs, nos patrons, ou de ceux sur qui nous projetons, ceux que nous admirons, ou devant lesquels nous nous sentons inférieurs.

Le pouvoir du jugement d'autrui

Je me souviendrai toujours de l'émotion de cette femme d'une soixantaine d'années me racontant le pouvoir destructif qu'avait eu sur sa vie un jugement posé par un passant quand elle était enfant. J'ai tenu pendant deux ans une chronique quotidienne à la radio France Bleu Provence. Je développais une idée sur quelques minutes, puis les auditeurs appelaient pour poser une question ou apporter un témoignage. Ce jour-là, j'ai abordé le thème du jugement. Marie-Paule a appelé et voici ce qu'elle nous a confié : « Je devais avoir huit ans. J'étais en train de jouer dans notre jardin. Un couple avançait sur le trottoir. La femme m'a regardée puis elle a glissé un commentaire à son compagnon. J'ai entendu distinctement : "Elle a une tête carrée, celle-là." Je me suis enfuie. Ces mots ont résonné dans ma tête pendant des années, jusqu'à aujourd'hui, en fait. C'est la première fois que j'en parle. Je n'ai rien dit à mes parents. De toutes façons, s'ils avaient nié que ma tête soit carrée, je ne les aurais pas crus. J'ai pensé que personne dans mon entourage ne me l'avait dit pour me protéger parce qu'ils m'aimaient. Cette femme ne me connaissait pas, elle n'avait donc pas de raison de me ménager. Je ne pouvais imaginer qu'elle ne disait pas la vérité. Quel aurait été son intérêt ? Toute ma vie, j'ai tenté de dissimuler ma tête. J'étais convaincue d'avoir une tête carrée. »

Dans le studio, l'émotion était palpable. Comment quelques mots jetés par une passante pouvaient avoir orienté une vie ? Je n'avais plus rien à ajouter sur le pouvoir du jugement.

Nous avons davantage tendance à croire les jugements négatifs que les positifs, pour la même raison que Marie-Paule n'aurait pas cru ses parents. Nous pensons souvent que les jugements négatifs sont plus objectifs ! C'est faux bien entendu. Les autres, passants, professeurs, parents, autres élèves manient l'ironie et les insultes dans le seul but de protéger leur propre image.

L'ennui est que nous portons ces images en nous. Marie-Paule a passé sa vie à se cacher, à tenter de se racheter en étant gentille et au service des autres, elle devait se faire aimer malgré sa tête. Les autres réagissent à notre contact en fonction de notre manière de nous présenter. Elle a donc souvent rencontré des gens qui l'évitaient ou la méprisaient. Loi d'attraction ?

La pierre à se faire des amis

Nathan était rejeté à l'école. De toute l'année précédente, il n'avait eu aucun ami. En cette veille de rentrée, il était terrorisé. Je lui confiai une « pierre à se faire des amis ». « Tu vois, le grenat est dans sa gangue. La gangue n'est pas très jolie, c'est de la pierre grise, elle a été un peu taillée alors on voit une partie du grenat. C'est une belle pierre rouge... mais quand elle est complètement dans sa gangue on ne voit pas qu'elle est précieuse et belle. Cette pierre est magique. Quand tu la portes sur toi, les autres ne voient plus ton apparence, mais ta beauté intérieure, tes qualités profondes. Comme tu as un peu peur de la réaction des autres à ton égard, souvent, tu ne les regardes pas, tu baisses les yeux, tu te fermes. Parce que tu as peur, tu es tendu. Les autres voient cela. Ils te voient tendu, fermé, qui ne les accueilles pas. Alors ils ont tendance à te juger. Quand tu auras la pierre dans ta poche, tu vas voir, ils ne s'arrêteront plus à la gangue, à ton apparence, ils verront le grenat à l'intérieur de toi. La pierre à se faire des amis te permettra à toi aussi de voir le grenat chez les autres. Toi aussi, parfois, tu ne vois que ce que les autres te montrent, tu ne vois que leur gangue. Grâce à la pierre, tu vas voir ce qu'ils ont de précieux à l'intérieur. »

Nathan a glissé dans sa poche la petite pierre d'un air complice. Dès le premier jour, il s'est fait cinq copains. Il n'en revenait pas ! Bien sûr, la pierre n'avait de magique que le pouvoir que Nathan lui prêtait. La conscience d'avoir ce grenat dans sa poche lui a permis de se rappeler d'ouvrir les yeux. Il avait moins peur parce qu'il se disait que les autres ne le jugeaient pas mais voyaient la beauté à l'intérieur de lui, même si lui n'en avait pas conscience.

Et si vous gardiez une petite pierre dans votre poche pour vous rappeler que chacun a une pierre précieuse à l'intérieur de lui, même si cela ne se voit pas...

5.

Fourchettes à poisson et codes sociaux

À quatre ans, Bernadette va à l'école maternelle pour la première fois. Elle y va volontiers, découvre la maîtresse, la classe, sa petite table, les autres enfants, la cour de récréation. Vers 11 heures, sa mère la voit arriver. Comment est-elle sortie de l'école ? Dans le langage des adultes, elle a fait une fugue ! Quarante ans plus tard, elle me raconte son étonnement face à la réaction des grandes personnes : « Je n'avais pas l'impression de faire quelque chose de mal. J'avais été à l'école, j'avais vu, ça me suffisait. Je repartais chez moi. Je n'avais pas compris qu'il fallait rester toute la journée. » Bernadette parle de cette aventure, comme d'une expérience fondatrice de son impression de ne pas savoir se comporter, de ne pas avoir les clefs de la socialisation, de ne pas maîtriser les codes sociaux avec lesquels les autres lui semblent tellement à l'aise.

On ne parlait pas beaucoup à la petite Bernadette. Les adultes avaient dû omettre d'informer la petite fille de quatre ans de ce détail qui avait pourtant son importance : elle allait devoir rester toute la journée jusqu'à l'heure de la sonnerie. Elle devrait y retourner le lendemain, puis tous les jours jusqu'aux vacances et ce, pendant quelques années !

Pour eux, c'était évident. Ils avaient dit à leur fille : tu es en âge d'aller à l'école, tu commences aujourd'hui. Mais ils n'avaient tout simplement pas pensé à en dire davantage. Ce qu'est une école et comment s'y comporter leur semblait aller de soi. De nos jours, parents et instituteurs parlent bien davantage aux enfants. Ils tentent de se mettre à leur place et de leur expliquer le monde dans lequel ils entrent. Les enfants sont moins démunis, un peu moins passifs et seront globalement plus à l'aise. Il reste toutefois nombre de règles implicites que personne ne prend la peine de vous expliquer.

À l'instar de Bernadette, beaucoup de gens voient la société des autres ou certaines situations comme verrouillées à l'aide d'un cadenas dont ils n'ont pas le code. Leur plainte dans mon cabinet est : « Je ne sais pas comment me comporter, je n'ai pas la clef, je n'ai pas les codes ».

Oui, les codes existent. Tout groupe en produit, parce que nous sommes des êtres communicants. Répondre à la question « Comment vivre les uns avec les autres ? » est la base d'une société. Chaque groupe élabore peu à peu ses propres règles quant à « ce qui se fait » et « ce qui ne se fait pas ». Ces règles sont rarement verbalisées en tant que telles, elles se construisent par tâtonnements et se transmettent par imitation et imprégnation. Cet ensemble d'habitudes comportementales et verbales, de rituels conscients et inconscients, forme la culture. Chaque ethnie, chaque classe sociale, chaque mouvement religieux, chaque corporation, mais aussi chaque famille, chaque couple a la sienne. Un couple élabore ses rituels, différents de ceux du voisin, et qui confèrent à la relation sa spécificité, son identité. Ces codes qui organisent leur relation permettent de se comprendre à demi-mot, renforcent le sentiment de connivence, de proximité.

Un groupe prend naturellement des habitudes. Neurones miroir, mimétisme et synchronie font leur travail. Qui se ressemble s'assemble, mais aussi qui s'assemble se ressemble. Au sein d'un groupe, les personnes se synchronisent, s'imitent les unes les autres, peu à peu les habitudes se ritualisent, deviennent des codes de reconnaissance dessinant une culture du groupe.

Un détail, imité par tous les membres du groupe, devient rapidement un code. En témoigne la petite histoire suivante : un moine était dérangé par un chat très caractériel qui jouait, sautait, bougeait pendant qu'il méditait. Il en vint à attacher le chat à un pilier. Quand le moine est mort, ses disciples ont continué à attacher le chat. Quand le chat est mort, ils ont acheté un autre chat pour pouvoir l'attacher et méditer « correctement » c'est-à-dire tel que leur maître le leur avait « enseigné ».

La pratique se répète, se transforme en habitude, c'est vite un usage. La régularité de l'usage installe le rituel. C'est désormais un us, une coutume. La coutume partagée forme code. Elle peut devenir une règle qui régit les rapports au sein du groupe qui respecte cette coutume. C'est ainsi que des gestes, des paroles, des rituels, des détails vestimentaires reconnus comme signes, deviennent des codes de reconnaissance. Une identité se dégage qui va définir ce qui est à l'intérieur du groupe et ce qui est à l'extérieur. Les codes deviennent autant de marques d'appartenance. Devenant identitaires, ils seront défendus d'autant plus farouchement que le sentiment d'appartenance aura besoin d'être confirmé. Intellectuels, rappeurs, gothiques, francs-maçons, Jet Set, « caillera », catholiques ou musulmans, chaque groupe, quelle que soit sa taille, a sa culture propre. En maîtriser les codes : langage, style vestimentaire, gestes, attitudes envers autrui, permet de signifier son appartenance. Si vous ne manifestez pas une bonne utilisation des codes, vous êtes rejeté ou tout au moins reconnu comme étranger. À l'intérieur du groupe, on se connaît et se reconnaît. On se comprend à demi mot, on partage le même credo, les mêmes valeurs. On pense pareil, on éprouve les mêmes émois, on partage une même attitude au monde, on est inclus. On se sent appartenir à un groupe.

Qu'est-ce au juste qu'un code selon le dictionnaire ? Un code est un ensemble de lois et dispositions légales relatives à une matière : code civil, code du travail, code pénal. C'est un décret ou une loi étendue réglant un domaine particulier comme le code de la route. C'est un ensemble de préceptes, de prescriptions comme dans le code de l'honneur. En VPC et sur les sites marchands, nous voyons fleurir les « code promo » assurant une traçabilité des clients aux marchands et leur permettant de repérer l'efficacité de leurs publicités. Il y a aussi le code postal véhiculant une information nécessaire dans une adresse, et le code génétique, assurant la mémoire et la transmission de l'information génétique, sans parler du code barre. Le code est un langage. Il permet une identification et transmet de l'information. Dans le langage, un code, secret ou non, est un système de symboles, *sein bolum*[1], destiné à représenter et à transmettre une information. « Je te reconnais, j'ai l'autre morceau de la poterie. C'est bien moi, je fais partie du groupe. » Utiliser un code commun souligne notre appartenance au groupe.

Il peut paraître désuet de tenir à placer ses couverts de la « bonne » façon. C'est se mettre en relation avec notre histoire. C'est se définir dans une image de soi et de sa famille. « Ce sont les trois bises du Nord », « à Paris on en fait

---

1. En référence à l'origine du mot symbole : dans la Grèce antique, deux personnes cassaient une poterie pour sceller un contrat, chaque partie conservait un tesson comme preuve. La complémentarité des deux morceaux était un signe de reconnaissance et une preuve fiable. *Sumbalein* (*symballein*) (de syn-, avec, et -ballein, jeter) signifiant « mettre ensemble », « joindre », « comparer », « échanger », « se rencontrer », « expliquer ».

deux ». Le rappel du code qui est le nôtre nous situe. Le code transmet un message permettant de se reconnaître, de se comprendre.

L'humanité est une espèce sociale. Pourtant la phobie sociale est très répandue, nous en sommes presque tous atteints à un plus ou moins fort degré. Peur de ne pas savoir quoi dire, de ne pas savoir comment se comporter surtout dans une situation informelle comme une fête, une soirée, un cocktail, peur de parler en public, peur de faire une erreur, de ne pas connaître les codes... Au siècle dernier, les gens n'étaient pas si mobiles qu'aujourd'hui, les groupes humains restaient bien plus entre eux. L'évolution de la société invite des gens qui ne se seraient jamais croisés hier à se rencontrer aujourd'hui. Les codes clairs de notre groupe local ne sont plus appropriés pour naviguer dans le monde. Les codes culturels ne sont pas enseignés comme tels, et les codes sociaux universels le sont encore moins. On ne donne pas de cours de socialisation dans les écoles françaises [1]. Les cours de maintien ont disparu avec les écoles de jeunes filles, les leçons d'éducation civique parlent davantage des lois et du fonctionnement du gouvernement que du vivre-ensemble quotidien.

Les enfants intègrent donc inconsciemment les codes du groupe par imitation, par assimilation, par introjection. De là viennent les soucis. On imite, assimile, introjecte dans le désordre et sans toujours la distance nécessaire pour iden- tifier ce qui est culture d'un groupe restreint : « Dans notre famille, on fait comme cela », ce qui est culture d'une classe sociale, culture d'un pays ou ce qui est une loi humaine

---

1. En Belgique, les cours de morale ne sont plus des cours de « morale ». On y enseigne les civilités, la relation à autrui. Au Québec, les programmes de développement affectif et social sont intégrés dès les plus petites classes depuis près de trente ans.

universelle. Or, certaines règles, certains codes, institués dans notre groupe familial peuvent être tout à fait inadaptés à l'école ou plus tard dans l'entreprise. De plus, le rapport émotionnel que nous entretenons avec nos modèles, les parents mais aussi les autres personnes de l'entourage, détermine pour beaucoup la manière dont on va intégrer les codes. Par imitation inconsciente, nous nous acculturons aux us de notre famille. Bien sûr nous intégrons les codes du groupe auquel nous nous sentons appartenir. Lorsque nous avons l'impression de ne pas appartenir au groupe, lorsque nous sommes rejetés, non-aimés, nous regardons les codes comme étant ceux du groupe auquel nous n'appartenons pas, nous ne les incorporons pas. Les enfants qui ne sont pas suffisamment regardés, admirés, reconnus par leurs parents, manquent du lien qui leur permet de se sentir appartenir. Ils se disent qu'ils sont tombés dans cette famille par hasard, qu'ils sont un enfant trouvé, qu'un jour leur vraie famille viendra les chercher...

La petite fille qui ne savait pas qu'elle devait rester à l'école ne recevait pas de tendresse de la part de ses parents. Son père était violent et la terrifiait. Sa mère dévalorisait ce père. Il était « le mal ». Cette maman faisait corps avec son fils aîné et rejetait sa fille. Bernadette était toujours de trop. Elle était brune quand eux étaient blonds. Ils lui disaient « Tu ressembles à ton père ». Cela signifiait : « Tu n'appartiens pas vraiment à notre famille ». Elle ne se sentait pas appartenir ni à une famille, ni à quelque groupe que ce soit. Elle se vivait toujours comme différente, avec ce sentiment lancinant de ne pas avoir de place, de ne pas connaître les codes.

Paradoxalement, quand on se sent à ce point différent, on peut avoir tendance à chercher à se fondre dans le groupe, dans un effort d'exister pour autrui. Moins on se sent sécure, plus on va chercher à être reconnu dans et par un groupe social. Souvent, les deux mouvements d'individuation et de fusion coexistent.

À quarante-cinq ans, Bernadette avait une vie sociale réduite. Autre symptôme, elle gardait tout ou presque. Sa maison était pleine de journaux, de papiers, de pots, de bouteilles vides. Tout était entassé dans sa cave, puis dans les différentes pièces de la maison. Elle conservait tout cela « au cas où ». En réalité, ce désordre autour d'elle, ces objets, témoins de son vécu, lui donnaient un sentiment d'exister. Elle manquait de codes, elle manquait d'ordre.

Mettre de l'ordre

C'est une autre fonction des codes : mettre de l'ordre. Codes, rituels, habitudes, coutumes... L'ordre contre le désordre du monde. Ordonner permet de réduire l'angoisse. Les rituels sociaux organisant les gestes et les attitudes diminuent l'anxiété liée à la rencontre.

Mettre de l'ordre dans le monde pour tenter de le maîtriser, de gérer l'afflux de stimulations que nous transmet notre fabuleux cerveau. La grande pédagogue Maria Montessori [1] a été la première (à ma connaissance) à identifier le besoin d'ordre des tout petits. Un enfant de dix-huit mois peut pleurer toutes les larmes de son corps si le bibelot qui est d'ordinaire sis à gauche sur la cheminée est, ce jour-là, disposé à droite. Inconscients de l'angoisse qui peut étreindre leur bambin, les parents souvent n'identifient pas cette cause. Ils n'imaginent pas que l'emplacement d'un simple bibelot que leur enfant n'a peut-être jamais touché puisse avoir cette importance pour lui. Quand ils finissent par repérer que le bibelot est en cause, ils croient parfois que

---

1. Maria Montessori, médecin et pédagogue, 1870-1952.

l'enfant le veut et, gentiment, le lui donnent. Le bébé redouble bien sûr de pleurs... Ce qu'il veut, c'est que l'objet soit « à sa place ». Car si le monde est sans cesse en mouvement, comment s'y retrouver ? Le cerveau de l'enfant travaille à organiser ses perceptions, mais il ne faut pas que les choses bougent tout le temps !

« Maman, c'est comme ça ? » Les petits enfants adorent savoir qu'on met le couteau à droite, la fourchette à gauche et la cuillère à soupe à gauche aussi, plus à l'extérieur. Le monde est ordonné, rassurant. Et puis, maîtriser les codes, c'est appartenir au monde des grands. Faire pareil et se sentir appartenir. J'imite ce que font les membres de ce groupe = j'appartiens à ce groupe.

Les codes sont utiles, ils simplifient la vie. Le code dit la fourchette à gauche, le couteau à droite. Ça organise le quotidien. Je sers en premier la femme à droite du maître de maison, sans risquer de froisser qui que ce soit. Le fait de la servir ne marque pas une quelconque préférence de ma part, c'est le code. Les règles permettent de ne pas se poser la question à chaque fois que se présente une situation. Avantage et inconvénient, la responsabilité individuelle disparaît.

Codes, rituels et règles libèrent les hommes de la responsabilité du choix, ôtent toute culpabilité. C'est un autre, le chef, le prêtre, le dieu, le leader, le patron, le timonier, le dirigeant, le papa... qui nous allège du poids de la liberté. Dès lors qu'on lui fixe des cadres, l'humain se sent sécurisé. Le succès actuel de l'Islam et de tout groupe aux codes explicites auprès des jeunes et des moins jeunes répond à ce besoin de structure et de certitudes, dans un monde si mouvant, incertain et de plus en plus individualisé. Paradoxalement, les jeunes le revendiquent comme leur identité, c'est mon choix ! Un groupe à identité forte, avec des rituels relationnels clairs, rassure. Les relations sont codifiées. Moins de risque à prendre. Plus une personne manque de sécurité

intérieure, plus elle a tendance à chercher refuge dans ces
règles strictes, dans ce fonctionnement simplifié. Plus la
société est rigide, moins l'individu prend de risque personnel. C'est un des attraits des sociétés totalitaires. Les
options comportementales de l'individu sont réduites. « Si je
fais le bien, je serai récompensé. Si je fais le mal, je serai
puni. Le monde est rassurant. Il y a des repères. » Les prescriptions claires ôtent de la liberté, mais aussi libèrent de
l'angoisse. Une femme récemment convertie à la religion
musulmane décrit sa nouvelle vie : « Je me sens enfin libre !
Je n'ai plus de culpabilité, plus d'hésitation, je n'ai plus de
souci. J'ai la tête libre, je ne me suis jamais sentie aussi
bien. » Vu de l'extérieur, il est difficile d'imaginer que les
contraintes vestimentaires et alimentaires puissent être associées à un sentiment de liberté. Mais cette femme nous
l'explique. Sa religion lui dicte ses actes, elle n'a plus besoin
de réfléchir, plus besoin de se poser de question. Elle n'a
plus de responsabilité, donc plus de sentiment de culpabilité. De tout temps, l'humain s'est réfugié dans des « Il faut,
on doit, le bien, le mal », pour juguler ses peurs, ne pas faire
face à l'incertitude et à la solitude. Il a aimé les dieux, rois
ou despotes qui lui dictaient ce qu'il devait faire et penser.
Il a préféré obéir pour ne pas avoir à penser. De plus, se soumettre ainsi à un corpus de préceptes permet de se sentir
bon : « Si je respecte le code, je suis quelqu'un de bien. Les
autres, ceux qui ne respectent pas le code, sont les
mauvais. » Effacement de l'angoisse, de toute culpabilité,
protection de son image, les bénéfices sont grands... mais
sans cesse à défendre. Le problème est que cette tentative de
domination des peurs en crée ! Car pour se sentir du côté du
bien, il faut qu'il y ait dehors un côté du mal. À vrai dire, il
est même nécessaire pour protéger sa propre image de rejeter
tout le négatif en dehors de soi. La diabolisation des autres
est nécessaire à l'angélisation de soi. Seulement, quand les

autres sont vécus comme le mal... Ils sont inquiétants ! Il faut sans cesse les tenir à distance, s'en séparer, s'en prémunir. La peur augmente... et le cercle vicieux est lancé. Plus on a peur, plus on cherche à se rassurer en étant bon et du côté du bien, en rejetant les autres du côté du mal, plus on a peur d'eux... La dichotomie bien/mal est à la racine du processus de violence et loin de nous donner la sécurité qu'elle promet, elle nous plonge dans un monde de plus en plus insécure.

Si les dominés[1] recherchent la soumission en échange de la sécurité, les dominants ont aussi intérêt à la claire distinction entre le bien et le mal. Tout pouvoir va avoir tendance à renforcer ce manichéisme pour se maintenir à sa place. Son intérêt est tout à la fois de sécuriser ceux qu'il domine en encadrant leur vie, et de les humilier pour casser toute rébellion. Les faibles, les pauvres, pour se « racheter » de l'humiliation, vont alors respecter les codes à la lettre. « Voyez, je suis comme je suis quelqu'un de bien » et « Ne me faites pas mal, voyez comme je me soumets ». « Je suis si petit, je suis à votre merci ». Ils ont intériorisé l'infériorité. Leurs comportements de soumission leur fourniront réassurance « je suis bien » et un sentiment d'appartenir à un groupe, voire à une élite, en tous cas aux « aimés » du chef.

Marquer son appartenance en se soumettant à tous les préceptes, se fondre dans le groupe, permet de se sentir appartenir, de se sentir exister et avoir une place. Si on parle d'une recherche identitaire, c'est en réalité une recherche d'appartenance à un groupe, l'identité individuelle se fondant dans le groupe. Le manque de sécurité intérieure,

---

1. Lorsque j'évoque ces mots de dominant et dominé, il ne s'agit pas tant de personnes que de positions. Des positions que nous prenons tous alternativement. Les dominés sont souvent dominants dans d'autres sphères.

d'estime de soi, suscite le désir de se faire accepter donc entraîne des tendances marquées à la soumission.

Faire face à l'infinie complexité des relations humaines et assumer notre responsabilité, oser regarder nos propres tendances à la violence, assumer que le « mal » n'est pas seulement à l'extérieur mais aussi en nous, est assez intimidant, mais somme toute bien plus sûr que la voie manichéenne. Reconnaître combien nous avons peur des autres, écouter nos émotions derrière nos haines, et aller vers eux pour les rencontrer, oser le conflit, c'est-à-dire la confrontation directe plutôt que la violence, c'est la voie de la liberté. Une voie qui sort de la logique « dominant/dominé ».

Devenir adulte, c'est sortir des notions de bien et de mal pour accéder à celles de responsabilité, de cause, d'effet et d'interaction. Un comportement n'est ni bien, ni mal, il a des conséquences.

Appartenance et individuation

Parallèlement à cet effort d'imitation pour se fondre dans le groupe, pour se sentir appartenir, se sentir inclus, un autre mouvement est profondément humain, celui de l'individuation. L'individuation implique de faire face à une certaine angoisse liée au risque de rejet. Que va-t-il se passer si je me montre différent du groupe ?

Chacun veut se sentir exister en tant que personne, dans ce dessein, il pose des choix. Certes, nombre de ces choix qu'il croit faire en conscience et en toute liberté sont en réalité dictés par l'influence sociale totalement hors de sa conscience. Il n'est pas rare que nous constations que d'autres ont choisi comme couleur de l'été ce jaune paille que nous étions certaine de trouver très original ou de découvrir que ce prénom que nous avions voulu unique se révèle tendance et que notre gamin a cinq ou six homonymes dans sa classe. Mais c'est une autre histoire. Nos goûts, nos choix, ce que nous aimons et ce que nous n'aimons pas, définissent notre sentiment d'existence en tant que personne unique, notre sentiment d'identité. Je choisis, donc je suis.

« Ça, c'est moi. » Chacun se définit comme individu, in-divisible, par ses choix. L'enfant de deux ans est prêt à prendre le risque de recevoir une fessée pour se sentir exister si son parent ne lui donne pas la possibilité de faire un choix. Le parent croit que l'enfant « cherche la fessée ». Non, bien sûr, il ne cherche qu'à protéger son sentiment d'avoir une existence propre et d'être une personne. Pour cela, il doit se séparer, ne plus être seulement le prolongement de maman. La maman ne comprend pas : « il fait une comédie, il fait un caprice » pourtant, elle-même dans une boutique dira « ce chemisier, c'est moi, je le prends ». Le pantalon n'aura pas le même succès, malgré les encouragements de la vendeuse, le « non, ce n'est pas moi » tombera comme un couperet. Je suis chat/chien. Je suis thé/café. Je suis pâtisserie/Je suis très viande… Nos choix nous définissent, nous nous définissons par nos choix. Être soi nécessite de sortir du groupe, mais jusqu'où peut-on aller sans être rejeté ? L'individuation implique de faire face à cette angoisse. Parler en public sur scène intimide, il s'agit de sortir du lot, sortir du rang. Car c'est une réalité dont nous avons le souvenir, à l'école, être différent peut déclencher des réactions de rejet[1].

Nous connaissons tous le phénomène du bouc émissaire. Le groupe fait endosser à une victime des aspects qu'il

---

1. Ce n'est pas une réaction naturelle, mais un phénomène de psychologie sociale qui se développe en fonction de l'insécurité. Les enfants ne sont « méchants » les uns envers les autres que parce que le groupe n'est pas géré. Les réactions de rejet sont proportionnelles au besoin de se sécuriser, donc à l'insécurité vécue.

désire évacuer. La victime, dite expiatoire parce qu'elle est chargée d'expier les fautes, le refoulé du groupe, est punie, condamnée, mise à l'écart. Tout enfant qui se démarque pour une raison ou une autre, parce qu'il est plus brillant, plus gros, plus petit ou plus grand que les autres, ou porte des lunettes, ou encore se vêt de jeans sans marque, est susceptible d'être bouc émissaire. Il est moqué, rejeté. Nous avons été victimes de cela enfant ou nous en avons été témoins. Nos peurs du rejet s'enracinent dans ces expériences.

Du lien, ni trop, ni trop peu ! Du lien permet de se sentir exister pour autrui, trop de lien empêche de se sentir exister en tant qu'individu. Notre rapport aux autres est profondément marqué par cette double dynamique, manifester notre appartenance et être différent.

Les adolescents refusent les codes des adultes, transgressent les lois, sont attentifs à ne plus respecter les usages, à rompre avec les habitudes dans leur quête d'individualisation. Ils vont multiplier les identifications pour se trouver, définir leur apparence mais aussi peu à peu leur identité profonde. Ils se fondent dans le look d'un groupe pour se sentir appartenir et ce d'autant plus que leur identité est fragile. Être reconnu dans ses choix permet de se sentir appartenir sans avoir besoin de se fondre. On ne peut se différencier sainement qu'à partir d'une bonne base de sécurité. Mais certains se différencient justement pour exister, pour qu'on les voie enfin. « Je vais arrêter d'avoir de bonnes notes pour que mes parents me voient ». « Je vais faire des bêtises au collège pour qu'on me voie », « Je vais mettre un piercing pour qu'on me voie… » Un individu qui ne se sent pas suffisamment regardé ou entendu risque d'exagérer les signaux pour qu'enfin on le « calcule [1] ». Hélas, il est rare que

---

1. Après avoir beaucoup refusé dans mon vocabulaire ce mot apparu chez les adolescents, je le trouve finalement très explicite.

l'entourage entende son cri silencieux. Même les parents jugent, punissent, sans mesurer toujours la détresse du jeune (ou du moins jeune).

Dans un collège, une fille est exclue par les autres. Quand je m'enquiers des raisons pour lesquelles elle est ainsi mise de côté, il m'est répondu : « Regarde comment elle se fringue ! » Effectivement, si je ne juge pas que cela justifie une mise à l'écart, force est de constater que cette jeune fille s'habille en rupture avec les standards sociaux. Un peu plus tard, je vois dans la cour une autre ado, très entourée, et... drôlement habillée, elle aussi, quoique différemment. Je demande : Quelle est la différence ? La réponse fuse : « Elle, elle assume ! » Mon informatrice a l'impression d'avoir tout dit. Oui, c'est vrai, elle assume, c'est-à-dire qu'elle porte ses vêtements avec affirmation, elle les fait accepter par les autres. En réalité, elle est reconnue, et parce qu'elle est reconnue par les autres, elle peut porter ses vêtements avec fierté. Elle est elle. La première a une autre histoire. Son vêtement différent s'enracine dans le rejet. Elle a été rejetée dans le passé. Elle n'a pas trouvé sa place. Elle ne peut s'habiller comme les autres parce qu'elle ne se sent pas appartenir, elle aurait l'impression d'usurper. Elle craint le ridicule, d'être moquée par les autres parce qu'elle chercherait à leur ressembler sans pouvoir être au niveau.

Tout au long de notre existence, nous luttons pour satisfaire ces deux profonds besoins : s'individuer tout en évitant la solitude, et se sentir appartenir sans être dans la fusion. La socialisation est une longue histoire oscillant entre deux pôles, deux besoins contradictoires. Se séparer, se différencier pour se sentir être un in-dividu. Fusionner, se fondre dans le groupe, se sentir appartenir.

Le respect du code se nomme politesse. Les incivilités auraient-elles un but caché d'individuation ?

Les incivilités

Le mot qui vient du latin « incivilitas » est apparu dans la langue française au XVIIᵉ siècle[1]. Ce terme exprime un manque de civilité, c'est-à-dire un manque de courtoisie et/ou de politesse, soit en acte, soit en parole. C'est en fait tout ce qui gêne le vivre-ensemble.

Stationnement anarchique, papiers et mégots au sol, téléphones mobiles qui sonnent dans les théâtres, les incivilités sont légion. Et pas seulement le fait des jeunes, ni le fait des pauvres et des exclus comme certains tentent de le faire accroire. Cette femme bien habillée, maquillée, bijoutée, qui passe devant vous dans la file d'attente, fait preuve d'incivilité tout autant que le jeune qui met ses chaussures sur le siège devant lui dans le train.

Tous les matins et tous les soirs, devant cette école privée en banlieue parisienne, la circulation est infernale. Pourquoi ? Les parents déposent leur enfant devant l'école, sans prendre la peine de se garer. « Juste quelques instants. » Le soir, les mêmes ne se garent pas non plus pour attendre la sortie des classes. Et ils s'offusquent quand on leur demande de se ranger sur le côté. Protégés dans leurs 4 × 4 de luxe, ils semblent dire « Je suis au-dessus des autres. J'ai tous les droits ». Impolitesse, égoïsme, indifférence à l'autre, mépris ? Nous sommes tentés d'apposer ces étiquettes. Mais l'analyse est un peu courte. Ont-ils réellement ce mépris envers autrui ? Certes, l'argent donne du pouvoir, et le pouvoir corrompt, la tentation peut être forte d'en abuser. Se conformer à la règle commune : se garer un peu plus loin, serait risquer d'être identifié à tout le monde. Leur comportement ostensible fait partie de leur code social, il signe leur appartenance à un clan qui se place au-dessus des autres. Le

1. La toute première utilisation du terme semble remonter à 1426.

choix du 4×4 surélevé n'y est pas non plus étranger. Est-ce un message délibéré : « Nous sommes différents, nous ne faisons pas partie du commun des mortels » ? Ou un simple défaut de conscience de l'existence ou de la présence d'autrui, « ça ne gêne personne » ?

Les incivilités ne sont décidément pas réservées aux banlieues défavorisées. Et d'ailleurs, si ces banlieues sont si défavorisées, n'est-ce pas lié à un certain manque de civisme d'autres qui respectent la politesse entre eux, mais pas toujours les lois humaines de fraternité et réciprocité ?

Inconscience ou bénéfice caché ?

« Ce Monsieur Paul m'énerve ! Ça se voit, je suis incapable de cacher ! » Cette phrase parvient à mes oreilles alors que je suis à l'autre extrémité du wagon. Oui, *ça* se voit, et *ça* s'entend ! Cheveux gris coupés très court, lunettes, une cinquantaine d'années, la femme parle si fort qu'aucune autre conversation n'est possible dans le wagon du TGV. Deux personnes discutent avec elle, mais ces dernières parlent normalement, on ne les entend pas. Seule la voix de cette femme agresse les oreilles des voyageurs. Clairement son comportement est impoli. Mais que nous apporte ce jugement d'impolitesse ? Cette femme n'est pas « mal élevée », il s'agit de bien autre chose. On pourrait croire qu'elle n'a pas conscience d'autrui. Mon impression est bien plutôt qu'elle en a fortement conscience ! Elle n'est pas « impolie », elle est « en représentation », vous êtes le public ! Elle satisfait ainsi son besoin d'être reconnue, entendue, de séduire, d'être regardée. Elle trouve un bien trop grand bénéfice à son comportement pour en changer. Cette phrase qu'elle a lancée : « Untel m'énerve ! Ça se voit, je suis incapable de cacher ! » confirme mon analyse. Elle revendique cette incapacité de cacher ses sentiments comme étant une preuve d'authenticité. En réalité, c'est un jeu de pouvoir. Par son comportement, elle se montre agressive, impose à l'autre son énervement, sans en assumer la responsabilité. Centrée sur elle, elle invite les autres à se centrer aussi sur elle. Parler fort dans le train, le bus ou tout environnement public revient à dire : « Je suis intéressante, ce que je dis est intéressant, je cherche à capter une oreille, je me montre. »

Qui n'a vu et surtout entendu un groupe de jeunes filles en public ? Elles rient, parlent fort, tout le monde les regarde. Elles ont les attitudes de séduction de leur âge. Elles cherchent à attirer le mâle. Ces comportements sont inscrits dans notre patrimoine génétique. À moins d'avoir des soucis avec sa propre sexualité, le public les considère avec tendresse. Il serait triste de voir des adolescentes trop polies pour rire en public. Mais lorsqu'une femme de cinquante ans se comporte ainsi, le décalage est trop grand, et nous sommes tentés de juger. Elle exprime un besoin, une blessure. Ce n'est pas au public du TGV que cette femme s'adresse en réalité, mais à son père, à sa mère. Ce sont eux qui ne l'ont pas écoutée, pas valorisée.

Parfois, le comportement nommé incivilité est un message. Et bien sûr, tous ceux qui parlent fort dans le train ou ailleurs ne le font pas pour les mêmes raisons. Voici quelques autres causes d'incivilités.

Dans le wagon – vous l'aurez compris, je prends souvent le train –, une personne d'une cinquantaine d'années, donc toujours pas une adolescente, parlait si fort dans son téléphone mobile que tous entendaient sa conversation. Au début, les gens se souriaient, puis s'exaspéraient comme la communication durait, mais ils n'osaient intervenir. Assise non loin d'elle, je me suis levée pour lui signifier mon inconfort. Bien sûr, elle m'a fait la tête quelques instants, le franc sourire que je lui ai opposé l'a calmée. Du coup, elle était gênée et a parlé plus doucement. Certes, personne n'aime se rendre compte qu'il dérange, mais cette femme était tout simplement inconsciente de parler si fort. Le fait qu'elle ait baissé le son immédiatement montre qu'il ne s'agissait que de cela, un simple manque de conscience et non un jeu psychologique comme la première.

S'il est vrai qu'un comportement ne respecte pas autrui, gardons-nous de conclure trop vite au « manque de respect » de la part de la personne. Ce n'est pas forcément son intention, elle ne fait pas cela par « manque de respect ». Elle est juste dominée par ses besoins psychiques, plus impératifs à ce moment-là. Car cela nous arrive à tous, ne l'oublions pas.

Le défaut de conscience nous mène à toutes sortes d'indélicatesses, mais dès que quelqu'un nous en informe, le sentiment de culpabilité surgit instantanément et nous stoppe.

Inconscience

Avant une conférence, nous discutons avec l'organisatrice devant la porte, quand une femme, après être entrée et avoir acheté son billet pour assister à la conférence, ressort et se met à distribuer des tracts présentant ses activités, le tout sans rien demander à l'organisatrice. La présidente de l'association est furieuse. Elle le lui aurait permis, mais elle supporte mal que cette femme se soit arrogé ce droit de faire cette distribution sans en demander l'autorisation. Certes, la rue est un espace public. L'organisatrice s'insurge : « J'ai une certaine éducation, je ne comprends pas qu'on puisse se comporter ainsi. » Manque d'éducation, certainement, mais pas en termes de politesse. Cette femme a payé son billet, elle est de bonne foi. Elle n'a tout simplement pas conscience des implications de son comportement. Elle n'a pas réfléchi un seul instant au fait que l'association avait investi de l'argent dans la publicité de cette conférence. En distribuant ses prospectus, la personne abuse non seulement de l'argent de l'association, mais de sa notoriété. Distribué devant le lieu de conférence, son prospectus bénéficie du label de l'association, voire du conférencier. Cette femme n'avait aucune conscience de tout cela et dès que cela lui a été formulé, elle l'a entrevu et s'est arrêtée. Nous avons si peu appris à nous projeter dans l'expérience de l'autre.

Choc de culture

Parfois, le même symptôme, parler fort dans le train, n'est qu'un choc de culture. Chaque famille a sa culture. Et dans certaines familles, on s'exprime en criant, en théatralisant. Dans la famille de Ruth, tout le monde parle fort. Aucun des membres de la famille n'a conscience de parler plus fort que la moyenne. Quand Ruth parle fort, ce n'est pas un jeu psychologique, il ne s'agit que d'une habitude culturelle. Vous le lui rappelez, elle prend conscience de son nouvel environnement et baisse le volume.

Gardons-nous décidément de juger trop vite !

Stress

Sous stress, nous utilisons nos forces pour nous défendre. Toute l'énergie est tournée vers l'intérieur, nous ne savons plus prendre en compte l'environnement. Sous stress, on se montre impoli tout simplement parce qu'on est à l'intérieur de soi, en défense, en protection. On peut s'en vouloir après coup, réfléchir à ce que les autres ont pu penser de notre comportement et le regretter, ce qui prouve que nous ne manquons pas d'empathie, mais cette empathie n'était pas disponible au moment du stress.

Dans une station de ski, mes enfants font de la luge. Je trouve dans la neige une minuscule petite poupée. Je cherche des yeux à quel enfant elle pourrait appartenir. Avisant une petite fille avec sa maman, leur chien courant autour d'elles, je m'approche du groupe avec la poupée dans les mains. Ma chienne, jusque-là plus occupée par la luge, accourt vers moi. Vient-elle à ma rescousse ? À peine la mère et la fille avaient identifié la poupée comme ne leur appartenant pas, nos chiens ont grogné... Et se sont attaqués. Lequel a commencé ? Pour ma part, j'ai vu le berger allemand sauter le premier, mais connaissant le processus de la violence, je sais bien que chacun a tendance à penser que c'est l'autre qui a commencé.

Quel a été le déclencheur ? Le jeune chien s'est-il imaginé que sa protégée courait un danger ? Toujours est-il que nous étions débordées par ces chiens qui se battaient. Ma chienne Phuket, placide bouvier bernois de cinq ans n'ayant jamais mordu personne, j'eus le mauvais réflexe. Trop confiante, je tente de saisir un collier... Le jeune berger allemand se retourne et me mord. Je saigne. Nous arrivons à séparer les chiens. Ma main est en sang et la jeune femme m'agresse : « Qu'est-ce qu'elle a votre chienne, elle est folle ! » La moindre des politesses eût été de m'accompagner à la pharmacie ou au moins de compatir quelques instants à ma blessure, même si j'en étais responsable par mon geste malheureux. La morsure m'a fait mal, elle était profonde, et a mis plus de trois semaines à cicatriser, mais ce qui aurait pu être le plus long à cicatriser était l'attitude de cette femme, son manque d'empathie. Je revoyais sans cesse la situation, l'accident. J'ai dû faire un travail intérieur pour libérer mon psychisme et ne pas porter cette femme plus longtemps dans ma tête.

Manquait-elle d'éducation ? Était-elle profondément égoïste ? Probablement ni l'un ni l'autre : elle était sous stress. La panique face à la situation était probablement plus responsable de son agressivité et de son manque d'empathie à mon égard qu'une supposée « mauvaise éducation ».

Nombre d'études ont montré l'impact du stress sur l'attention à l'autre. Une jeune femme lâche une pile de dossiers dans la rue. Ses papiers s'étalent au sol. Si la rue est silencieuse, 100 % des gens s'arrêtent pour aider la jeune femme à ramasser ses papiers. Plus il y a de bruit, moins les gens s'arrêtent. Si un marteau piqueur martelle à proximité, plus personne ne se baisse.

Cette expérience montre une fois de plus qu'il est tout à fait inutile d'accuser les gens d'impolitesse ou d'inattention à autrui. Leur inattention est liée au bruit. Ce n'est pas un problème d'éducation, mais de stress. Pris dans nos pensées, occupés à gérer le stress à l'intérieur, nous n'avons plus guère d'énergie disponible pour être attentif à l'extérieur.

Si vous avez pris le bus à Paris ces dernières années, vous n'avez pas pu manquer de voir ces panneaux colorés invitant à la « Bus-Attitude ». Laisser sa place à une femme enceinte ou à une personne âgée était un comportement qui se faisait trop rare. Les usagers se plaignaient de la montée des incivilités et du sentiment d'insécurité dans les autobus. De plus, la fraude, autre incivilité, montant jusqu'à un taux de 16 % sur le seul réseau des bus, occasionnait une perte sèche de plus de 200 000 euros par jour. La RATP a lancé une vaste campagne de civisme à destination des utilisateurs des lignes autobus. Les règles du savoir-voyager étaient énoncées, sans jugement, sans culpabilisation, sur des affiches colorées et facilement lisibles. « Laisser les places assises aux personnes âgées, aux femmes enceintes, aux handicapés ou aux mamans. Se serrer et laisser de la place aux poussettes. Baisser le ton, le téléphone ou la musique pour que les voisins n'en profitent pas. » Dans la ville de Toulouse, une campagne similaire sur une durée de dix ans avait ramené la fraude à 4 %, chiffre jugé incompressible. À Paris, la Bus-Attitude, lancée fin 2003, a rapidement porté ses fruits. Deux ans plus tard, les gens se levaient pour laisser la place aux personnes âgées ou handicapées, l'image du bus était restaurée et la fraude avait baissé de 16 % à 12,5 %.

Là où jugement et culpabilisation auraient échoué, cette campagne sympathique a fonctionné. On ne peut accuser le seul « manque de civisme » sans en regarder les causes probables. Ce manque de civisme n'est pas lié à un défaut d'éducation ou au fait que certaines personnes seraient de « mauvaises personnes ». La montée des incivilités n'est pas liée au laxisme parental, mais à la montée des agents stressants. Le bruit, le stress sont des causes suffisantes pour expliquer l'inattention aux besoins d'autrui. L'expérience de la Bus-Attitude l'a montré, un simple rappel est suffisant pour ramener à la conscience les règles du vivre-ensemble dès lors qu'une des causes en jeu est le stress.

Impolie par excès d'obéissance

Dans l'avion, une femme d'un certain âge, tirée à quatre épingles, maquillée, bien coiffée, tentait de mettre deux paquets devant elle sous le siège. Je souligne combien sa mise est proprette, car tout dans son apparence exprimait son désir d'être polie et bien élevée. Elle tentait donc de ranger ses bagages. L'un des deux sacs entrait à peu près, mais l'autre ne pouvait y trouver sa place. Je le lui soulignai. « Si, si, ça va aller… » me répondit-elle.

Comme elle n'y arrivait pas, je me dis qu'elle avait peut-être du mal à lever les bras et ne pouvait arriver seule à mettre son paquet dans le coffre à bagages, je lui proposai donc de le mettre pour elle et de le lui rendre à la fin du voyage. Elle déclinait ma proposition. Elle m'expliquait que c'était un tableau très fragile. Elle craignait que quelqu'un ne mette un paquet dessus. Puis, se rendant enfin à l'évidence, elle accepta ma proposition. Je mis donc le tableau dans le coffre à bagages. Quelques minutes après, un passager s'apprêta à y placer sa valise. Ma voisine le considérait sans aucune réaction. Prenant la responsabilité d'avoir mis son tableau dans le coffre à bagages malgré ses craintes et voyant qu'elle ne défendait pas son bien, j'intervins [1] : « Non, pas là, c'est un tableau très fragile. » « Ah ! » répondit l'homme qui alla chercher ailleurs de la place pour son bagage. Je m'attendais à ce que ma voisine me remercie. Mais non, elle ne me dit rien. Et, de plus, elle évitait ostensiblement de me regarder [2]. Comment comprendre son comportement ? Je commençai à me dire qu'elle était vraiment impolie [3]. La situation n'était pas bouclée. Il m'aurait suffi d'un simple regard. Mais sans cette conclusion, je n'arrivais pas à me concentrer sur mon journal [4]. Quelques instants plus tard, le steward ouvrit le coffre pour y placer un attaché-case... NON, a-t-elle dit très vite, comme si elle disait un gros mot, tout en se retournant vers moi pour quêter mon approbation. J'aurais pu entendre : « Je peux maman ? » J'ai alors compris qu'elle ne voulait pas mettre son paquet dans le panier parce qu'elle savait qu'elle n'oserait pas le défendre. J'avais pris en charge la situation. J'avais assumé le rôle de Parent. J'avais pris la place de son État du Moi Parent, elle m'avait délégué une partie d'elle, j'étais donc comme son prolongement, tout

---

1. Il est à noter que si la première fois, j'ai proposé mon aide à cette dame et n'ai agi qu'avec son accord, cette fois, j'ai agi en la prenant en charge. L'Analyse Transactionnelle dit que je suis entrée dans un jeu psychologique en position de Sauveur. Et j'ai donc toutes les chances de me retrouver assez vite Victime. C'est effectivement ce que nous allons découvrir.

2. Et voilà, de Victime, elle est passée Persécuteur, et moi je suis devenue Victime.

3. Mais je ne reste pas longtemps Victime, à l'intérieur de moi, j'accumule de la colère et je deviens Persécuteur. Ici, Persécuteur interne.

4. Eh oui, nous étions dans un jeu, j'attendai le dénouement, je guettai (inconsciemment) les positions à jouer.

en étant une personne extérieure, c'est-à-dire susceptible d'opérer des actions qui lui étaient interdites. Si c'était moi qui agissais, elle n'en portait pas la responsabilité. C'est parce que j'étais une partie d'elle qu'elle ne m'avait pas dit merci. Dire merci aurait impliqué me reconnaître comme extérieure à elle et l'aurait donc contrainte à reconnaître que j'avais mis le bagage dans le coffre pour elle, et donc en prendre la responsabilité.

Qualifier le comportement de cette femme d'impolitesse n'apporte pas grand-chose comme information. Cette dame était vraisemblablement très bien éduquée. Elle avait certainement appris de sa maman à remercier d'une aide apportée. La vraie raison de son attitude n'était pas un désir de manque de respect à mon égard. Il s'agissait d'une terrifiante timidité, d'une trop grande soumission à l'autorité que représentait tout adulte, fût-il un autre passager, ou le steward. Elle avait trop appris l'obéissance. Et cette obéissance la mettait en difficulté dans la vie courante.

Rébellion

On peut être impoli par obéissance, et aussi par désobéissance. Mais là encore, est-ce que la motivation de ces incivilités est un manque de respect ? La cause est bien loin d'un hypothétique défaut d'éducation.

Il arrive que nous en ayons soupé d'obéir et que nous n'ayons tout simplement pas ou plus envie de respecter les convenances. Les convenances, c'est-à-dire ce qui est convenu entre personnes dans un groupe auquel on n'a pas envie, ce jour-là, de se sentir appartenir. La rébellion sert le mouvement d'individuation. Pour mieux le comprendre et décoder ce type d'incivilité, opérons un petit tour d'exploration des périodes rebelles de la construction de notre identité.

« Célia refuse tout ce qui pourrait ressembler à un ordre. Elle veut décider de tout. Elle n'aime pas les règles et prend un malin plaisir à les détourner. C'est elle qui instaure les règles. Elle aime à nous dire ce que l'on doit faire ou non. Elle veut choisir tout ce qui la concerne, son goûter, ses habits, et même sa couche ! » Célia a deux ans et demi, et sa maman n'en peut plus parce qu'elle n'a pas compris l'intention du comportement de Célia et tente sans succès de la contraindre. Célia est en train de construire son sentiment d'identité. Pour cela, elle doit faire ses propres choix. Au début, la seule chose importante est que ce ne soit pas celui de sa maman. Si Célia perçoit que son choix pourrait être une obéissance quelconque à sa maman, elle craint de replonger dans la fusion et l'indifférenciation. Elle ne veut plus être le prolongement de maman comme elle l'était dans son ventre, pendant la période d'allaitement et à vrai dire jusqu'à il y a peu. L'attitude que cette maman décrit avec désespoir est certes difficile à traverser pour les parents, mais tout à fait naturelle. Elle durera d'autant plus longtemps qu'elle mettra du temps à atteindre l'objectif, donc que les parents continueront de tenter de soumettre l'enfant. La troisième année est l'âge où les petits prennent conscience d'être une personne séparée, distincte. Ils construisent les frontières de leur Moi. Ils élaborent leur Parent intérieur. Non seulement ils veulent choisir leurs vêtements et la disposition des pâtes dans leur assiette, mais ils veulent décider des règles. C'est la période où ils réinventent les règles des jeux de société, veulent jouer selon leurs propres règles. Cette façon de faire est souvent interprétée comme de la rébellion par les parents, ce n'est en fait que le résultat externe du processus interne d'élaboration du Parent interne. Cette rébellion a une fonction : devenir soi, pouvoir dire JE.

S'ensuit une période de relative docilité, puis, vers treize ans, de nouveau une période d'individuation surgit.

Les adolescents refusent les convenances des adultes pour dire leur différence et leur spécificité. Ils veulent se sentir exister en tant que personnes. Tout ordre sonne à leurs oreilles comme une demande de régression. Vous dites : « Lève-toi, prépare ton sac », ils entendent : « Sois le prolongement de ma volonté, ne sois pas une personne. » La rébellion durera tant que leur nouvelle identité ne sera pas solide ou deviendra révolte ouverte ou larvée si les parents s'ancrent dans le jeu de pouvoir. À cet âge, respecter les convenances revient à ne pas exister. Mettre les chaussures sur la banquette du métro ne signifie pas « Je salis exprès pour vous embêter » mais « J'emm... vos règles, je fais ce qui me plaît à moi. Et je laisse des traces de mon passage, je ne veux pas passer inaperçu, comme les chiens urinent sur les réverbères pour marquer leur territoire, je salis, je tague, je marque mon espace. Je veux une place ! » L'afflux de testostérone n'est pas non plus étranger à ce besoin de marquer le territoire. Plus nous entendrons l'intention du comportement et y répondrons, moins ils auront besoin de crier ou de s'enfermer dans ces comportements de révolte. Les ados ont besoin de se créer leurs propres règles du jeu. Ils le font jusque dans leur langage. Depuis des générations, les jeunes manient l'argot et le verlan, éprouvent l'impérative nécessité de prendre des libertés avec la langue.

L'incivilité peut être entendue comme un message. C'est une tentative d'individuation ou une transgression pour qu'enfin nous levions les yeux et écoutions. Elle peut être expression d'un sentiment d'injustice, de frustration, ou simple besoin d'exister en tant qu'individu.

Tolérance ou respect ?

Doit-on faire preuve de tolérance ? La tolérance est la capacité d'un individu à accepter une chose avec laquelle il n'est pas en accord. La tolérance sociale est la capacité d'acceptation d'une personne ou d'un groupe, de comportements différents des siens, en désaccord avec ses valeurs morales ou les normes établies par la société.

Wikipedia [1] précise : « Selon certains moralistes, la notion de tolérance est associée à la notion absolue de bien et de mal. La tolérance s'exerce lorsqu'on reconnaît qu'une chose est un mal, mais que combattre ce mal engendrerait un mal encore plus grand. »

Les comportements des autres sont au service de leurs besoins davantage que dirigés contre nous. Pour autant, nous existons. Et nous avons chacun une capacité de tolérance spécifique. Certains tolèrent d'attendre une personne vingt minutes. Pour d'autres, cinq minutes sont déjà trop, d'autres encore ne sont pas perturbés avant une bonne heure de retard. Chacun a son seuil de tolérance. La tolérance est souvent érigée au rang de vertu, ce n'est qu'une capacité d'acceptation. Quand vous avez des enfants, leurs besoins étant très différents des vôtres, vous avez besoin d'une bonne dose de tolérance ! Ils aiment le bruit, vous aimez le silence. Ils aiment le désordre, vous aimez l'ordre. Ils aiment se lever tôt, vous aimez faire la grasse matinée. Quand ils grandissent, il vous faut encore de la tolérance. Oui, mais si vous êtes trop tolérants, vous risquez de ne pas entendre leurs cris de détresse. Car nombre de comportements expriment des besoins. En tolérant les comportements sans écouter leur sens, nous manquons de respect à l'enfant ou à la personne. Si je tolère que mon enfant me dise de manière

---

1. www.wikipedia.org

répétée « maman, tu es méchante », je n'entendrai jamais qu'il me dit cela tous les soirs parce qu'il a besoin que je l'aide à gérer cette situation de harcèlement à l'école. Si je tolère que mon enfant ne mange que des sucreries, non seulement je n'assume pas mon rôle de parent nourricier et protecteur de sa santé, mais je n'entends pas qu'il tente de me dire quelque chose sur son angoisse de vivre. Si je tolère que mon mari couche avec d'autres femmes, je n'entends pas ce qu'il dit de notre relation et de ses besoins.

Quand je donne une conférence sur les émotions des enfants et que j'invite les parents à écouter les enfants, il y a souvent une personne dans la salle qui s'insurge « mais on ne peut pas tolérer n'importe quoi ! » Comme si les mots écouter et tolérer allaient de pair. Écouter les besoins des enfants reviendrait à tolérer tous leurs comportements, tous leurs excès. C'est exactement le contraire. L'écoute des besoins tend davantage vers la tolérance 0. Tolérer un comportement, revient à ne pas l'écouter et donc à ne pas y répondre ! L'intention du comportement n'est pas entendue. Développer la tolérance au sens de modifier nos seuils sensoriels, oui. Mais stop à la tolérance qui n'écoute pas les besoins.

J'ai l'habitude de dire que je suis contre la tolérance, le temps de voir le regard de mes auditeurs se noircir, j'ajoute que je préfère le respect. Les deux notions sont trop souvent confondues. Respect signifie regarder sans jugement. Tolérer, c'est essayer de supporter quelque chose ou quelqu'un que nous jugeons négativement. Chaque fois que nous « tolérons » un comportement, cela signifie que nous préférons détourner les yeux de ce que cela signifie. La tolérance érigée en valeur induit la violence en ce sens qu'elle pose un jugement négatif sur le comportement d'autrui. Tout jugement est projection au dehors du mal, donc racine de violence.

Le respect est plus difficile parce qu'il ne permet ni jugement rapide ni comportement automatique, il oblige à écouter ce que l'autre veut exprimer, à chercher à comprendre le sens de ce qu'il montre.

Trop de politesse tue la politesse

« Allez-y servez-vous, nous n'en mangeons pas ! » Je considère avec perplexité l'énorme pièce de bœuf que m'offre cette maîtresse de maison. Ils ne mangent jamais de viande (trop cher ou végétarisme ?) mais ils en ont acheté par politesse envers moi, pour me faire plaisir. Dans leur idée, quand on a un invité à sa table, on lui sert de la viande. Pas de chance, à cette époque j'étais plutôt végétarienne, je mangeais un peu de viande blanche, quasiment jamais de bœuf et surtout, j'évitais de manger de la viande le soir. Leur politesse me mettait dans une situation délicate. Ils n'étaient pas riches. Ils avaient eu cette attention à mon égard. La relation m'a paru sur le moment plus importante que le fait de manger ou non de la viande. J'ai opté pour faire honneur à leur intention. J'ai mangé la viande.

Par politesse, nous pouvons manquer au final de respect envers les autres, en pensant à leur place, en n'écoutant pas leurs désirs et leurs besoins. Dans un précédent livre, j'ai déjà évoqué la question de l'aile et de la cuisse, la situation vient de se reproduire devant mes yeux.

Le somptueux plat de poulet tandoori est sur la table. Marina sert. Elle saisit une cuisse et l'avance vers l'assiette de Mattéo. Mattéo réussit à lui dire :

« Non, je préfère du blanc. »

Elle propose alors la cuisse à Julie, qui hésite. Elle ne veut pas faire de peine à sa cousine et je la vois s'apprêter à accepter la cuisse. J'interpelle Marina :

« Et toi, qu'est-ce que tu préfères ?

— Moi ? La cuisse !

— Alors, pourquoi tu la proposes aux autres ?

— Ben, je donne en premier aux autres ce que j'aime ! »

Et voilà comment les meilleures intentions du monde peuvent faire le malheur de tous (j'exagère, bien sûr) : Julie, voyant Marina en panne avec sa cuisse, était prête, elle aussi par soumission à une soi-disant politesse, à accepter la cuisse. Alors qu'elle préfère l'aile ! Si je n'étais intervenue, à part Mattéo qui avait osé dire non, les autres, polis, auraient chacun eu un morceau qui n'était pas celui qu'ils préféraient. Alors qu'il y avait tout juste assez de morceaux pour que chacun ait celui qu'il a plaisir à déguster si la question avait été « Qu'est-ce que tu préfères » plutôt que « Tu veux une cuisse ? »

Votre vision du monde n'est pas universelle. Arrêtez de donner des cuisses de poulet aux gens qui préfèrent d'autres morceaux. La politesse a ses limites. « Cessez d'être polis, soyez vrais » clame avec tant de justesse Thomas d'Ansembourg[1].

Nous avons appris : « Ne fais pas à autrui ce que tu ne voudrais pas qu'il te fasse », c'est une bonne idée. Mais nous en avons parfois abusivement déduit « fais à autrui ce que tu voudrais qu'il te fasse ». Le serveur apporte le plat, les deux steaks sont inégaux. Raoul avance le plat vers Régis, qui se sert en prenant le plus gros des deux steaks. Raoul s'insurge :

« Ben alors, t'es pas poli, tu prends le plus gros ! »

Régis le regarde :

« Et toi, tu aurais fait quoi si tu t'étais servi le premier ?

---

1. C'est le titre de son premier livre paru aux Éditions de l'homme : http://www.thomasdansembourg.com

— Moi ? J'aurais pris le petit !

— Eh bien voilà, tu as le petit, j'ai le gros ! »

Question de ponctualité

Nathalie est furieuse : « Je ne supporte pas les gens en retard, c'est un manque de respect des autres ! » Au lieu de poser ce jugement sur les retardataires, Nathalie pourrait exprimer sa colère : « Mon temps est précieux, lorsqu'une personne me fait attendre, je perds mon temps, je suis frustrée, et fâchée d'être ainsi mise en situation de dépendance. »

Au début de mes stages, lorsque nous fixons les règles, nous avons souvent un débat sur la ponctualité. Certains disent que la ponctualité est une marque de respect d'autrui... C'est vrai et ce n'est pas toujours vrai. La ponctualité consiste à respecter les horaires, pas les personnes. Et bien sûr, le respect ou le non-respect des horaires décidés en commun influe sur les personnes, mais pas de la même manière dans toutes les situations. Il est naturel que la règle de ponctualité s'applique à l'animateur, le stage commence à l'heure prévue et annoncée. En revanche, parmi les stagiaires, chacun est responsable de lui-même et ne s'engage à la ponctualité qu'envers lui-même et non envers le groupe. La ponctualité n'a pas à être placée sur le plan des valeurs. C'est un choix opérationnel, être ponctuel a une fonction. Si vous arrivez à l'heure, vous recevez toute l'information et participez à l'expérience du groupe. Si vous arrivez en retard, il vous manquera un morceau plus ou moins important du contenu ou de la constitution du groupe. Les autres auront partagé des éléments qui vous manqueront.

Depuis notre enfance, nous avons appris à poser des jugements tranchés en terme de bien et de mal. À l'école, quand un élève est en retard, même si ses retards sont répétés plutôt que de chercher à entendre le message porté, l'immense majorité des enseignants punissent, transmettant le message : « Être ponctuel est bien et arriver en retard est mal. » Il est vrai que c'est une transgression de la règle et en cela justifiable d'une sanction (une sanction serait plus efficace qu'une punition), mais quand les retards se répètent, se systématisent, la réponse en termes de sanction n'est plus appropriée. Il y a un message à entendre. Or, si la plupart des enseignants y entendent bien un message, ils l'interprètent trop fréquemment dans le cadre d'une mise en jeu de leur autorité. Ils punissent donc pour reprendre la position haute. Ils entrent dans un jeu de pouvoir au lieu d'entendre que les retards ne sont qu'un symptôme, un cri silencieux et camouflent une révolte peut-être ou une souffrance, en tous cas des émotions. Le processus est bien sûr inconscient, et le jeune ne se dit pas « Je vais être en retard pour montrer combien je suis en colère d'avoir perdu mon père ». Son cerveau guide son comportement. Notre rôle d'adulte est de décoder ce que le jeune n'arrive pas à dire et de l'aider à sortir de son comportement symptôme plutôt que de l'enfermer davantage dans la détresse en le culpabilisant.

Pour relativiser cette notion du bien et du mal, il suffit de considérer que nos codes ne sont pas si universels. En France, arriver à l'heure à un rendez-vous fixé à 14 heures, signifie arriver à 14 heures. Au Japon, pour un rendez-vous à 14 heures, vous êtes censé arriver à 13 h 45. Au-delà, vous êtes considéré comme en retard. Dans d'autres régions du monde, les horaires sont plus flous. L'autre ne vous attend pas vraiment à 14 heures. Il s'attend, certes, à vous rencontrer dans la journée, mais il continue de vivre sa vie et de vaquer à ses occupations. Il n'est donc pas frustré si vous arrivez en retard par rapport à l'heure fixée. Certes, si vous avez décidé d'aller au cinéma, vous risquez de louper la séance, et en groupe, certaines activités nécessitent la présence de tous. Mais, même si la conséquence de leur retard est votre frustration, les retardataires n'ont pas forcément pour *but* de vous manquer de *respect*. Au lieu de placer le problème au niveau des valeurs, et en termes de bien et de mal, considérons la fonction des retards. Car la ponctualité a des inconvénients, ce qui explique d'ailleurs qu'elle ne soit pas respectée par tous. Lorsque vous êtes à l'heure pour assister à un stage par exemple, vous avez à saluer les autres. Les phobiques sociaux détestent ce moment de la première rencontre, des salutations et du choix de sa place dans la salle. En arrivant après le début du stage, plus de politesses à faire. Et le choix de place est réduit. Autre avantage non négligeable : quand vous entrez en retard, tout le monde se retourne sur vous. C'est gênant... mais gratifiant. La ponctualité ne rapporte pas autant de gratifications. Vous n'avez pas une « place spéciale ». Vous y perdez donc en signes de reconnaissance. De plus, si vous êtes en retard, n'ayant pas participé à l'élaboration des règles, vous pourrez toujours argumenter ne pas les connaître. Arriver en retard est donc très utile pour être passif, puis éventuellement agressif, sans porter la responsabilité de ses comportements.

Lors d'un rendez-vous galant, celui que vous faites attendre est placé en situation de dépendance. Si vous êtes ponctuel, vous êtes en situation d'égalité... À condition que votre vis-à-vis soit lui aussi ponctuel. Car s'il est en retard, c'est alors que vous serez dépendant de lui ! Clothilde arrive en retard parce qu'elle craint d'attendre, terrifiée à l'idée de ne pas avoir de contenance. « Pour ne pas avoir l'air cruche », elle est attentive à arriver systématiquement après que son rendez-vous est là.

Christine a érigé ses retards en stratégie. Elle est très peu sûre d'elle, mais elle le dissimule : « Je suis toujours en retard, je préfère que l'autre soit déjà là, je ne supporte pas d'attendre seule dans un lieu public : qu'est-ce que pourraient croire les gens ? Je ne veux pas qu'ils s'imaginent qu'on m'a posé un lapin, de quoi j'aurais l'air ! » Nombre de personnes, comme elle, se mettent systématiquement en retard pour ne pas risquer d'être en position de dépendance d'autrui, ne pas être en position d'objet.

Quand on n'est pas certain de son pouvoir personnel, on peut être tenté d'user de ces subterfuges. Faire attendre a de tout temps été une façon d'asseoir son pouvoir sur autrui. Les rois faisaient attendre, nombre de médecins le font encore. Les patients sont à leur merci et n'osent pas se plaindre de crainte d'être mal soignés. Le mot patient vient de *pathos*, maladie, mais il a pris le sens de patience, tant dans certains cabinets, il est nécessaire de s'en armer.

« Le Dr Trucmuche est souvent en retard comme ça ? » « Oh oui, comptez une heure minimum. » Dans la salle d'attente, il y a pourtant un petit papier stipulant que le Dr Trucmuche est attentif au respect des horaires et que les retards éventuels sont liés aux urgences. Mais comment se fait-il qu'il y ait des urgences tous les jours ? Et si c'est le cas, comment se fait-il qu'elles ne soient pas prises en compte dans la gestion de l'agenda ? Est-ce que ce n'est pas un problème d'organisation ? Et peut-être une question culturelle. Au temps où les montres et les téléphones n'étaient pas répandus, il était normal de patienter chez un médecin, c'est pour cela qu'a été conçue la salle d'attente. L'habitude fut prise. Dans les hôpitaux, tout le monde était convoqué à 9 heures, le médecin arrivait vers 10 heures et il n'était pas rare de patienter toute la journée. De nos jours, la situation a progressé. Même en ville, nombre de médecins spécialistes ou généralistes et de dentistes ne font plus attendre. Ils ont su gérer leur organisation. Mais il reste des irréductibles qui aiment à voir leur salle d'attente bondée.

Comme j'évoquais cette question avec un médecin oph-talmologiste rencontré lors d'un voyage, il me confia :

« Bien sûr que je pourrais m'organiser pour prendre les gens à l'heure de leur rendez-vous, mais j'ai besoin de voir ma salle d'attente bien pleine. Oh, ils ne s'ennuient pas, je leur ai installé un super écran et je leur passe de bons films. » Pourquoi a-t-il besoin de cela ? Ça le rassure !

Cet ophtalmologue n'avait pas le moins du monde conscience d'abuser du temps de ses patients encore moins de leur manquer de respect. Il leur offrait au contraire un bon moment. Preuve, la télé ! Il était seulement davantage attentif à ses besoins propres qu'à ceux de ses clients. Ces derniers continuent d'ailleurs de se précipiter chez lui... Un grand nombre de personnes dans la salle d'attente ne signifie-t-il pas que cet homme est un grand docteur ? Qui de la poule ou de l'œuf... ?

Une salle d'attente bien remplie rassure le praticien : « J'ai de la valeur puisque ces gens sont capables de m'attendre une heure durant. » « Et puis, ça les calme. Quand ils rentrent dans le cabinet, ils sont dociles », rajoute Mathilda, gynécologue. En effet, peu de patients osent exprimer de la colère. Soulagés de voir enfin son tour arriver, craignant qu'il les soigne moins bien s'ils l'énervent, ils se soumettent. Même les médecins peuvent être terrorisés par la relation d'égal à égal et préfèrent prendre le pouvoir sur leurs patients.

Ne déduisez pas, toutefois, que toutes les personnes ponctuelles ont confiance en elles. Certains sont ponctuels par pur conformisme ou peur de la colère des autres !

Nous avons trop tendance à interpréter les comportements des autres comme dirigés contre nous. Le plus souvent, ils ne font qu'exprimer les besoins de la personne, ils parlent de son histoire, de son rapport au monde. Les rapports de pouvoir qu'ils engendrent ne sont pas forcément voulus, ni même conscients.

Élise : « J'ai 29 ans, cela fait 29 ans que je suis en retard. J'étais en retard déjà à la naissance, je suis née avec 12 jours de retard. » Élise est marquée par le retard, identifiée comme telle. Cela fait partie de son identité. Elle n'est certainement pas en retard pour vous faire sentir votre position sociale inférieure, ni même pour vous manquer de respect, elle est en retard parce qu'elle ne veut pas faire mentir sa maman qui l'a définie comme « en retard ».

Gauthier a d'autres raisons : « Mon père voulait toujours partir deux heures à l'avance, on attendait une heure sur le quai. » Du coup, lui, par rébellion, arrive systématiquement une heure après l'heure dite.

Il y a aussi ceux qui imitent leurs parents. « Mon père était comme cela », annonce Marc. L'explication est là, évidente, comme si le retard systématique pouvait être d'origine génétique.

Clairement, le retard installe un rapport de pouvoir en faveur de celui qui dispose ainsi du temps de l'autre. Celui qui attend est mis en position d'infériorité. Mais en réalité, celui qui arrive en retard ne tente pas tant de vous contrôler vous, que de contrôler, de dominer, de reprendre du pouvoir sur sa propre vie. S'il en a manqué enfant, comme Gauthier qui attendait trop souvent sur le quai de la gare, comme Justine qui devait être là pile à l'heure à midi pour déjeuner en famille, et dont le père, militaire, sanctionnait toute seconde de retard. Ils se sont sentis tellement impuissants enfants. Une fois adultes, ils imposent leur contrôle.

Certaines personnes, tout au contraire, mettent un point d'honneur à ne jamais faire attendre. Elles sont paniquées à l'idée de rater un avion, un train, et patientent des heures dans les aéroports. « Je suis systématiquement en avance d'une heure… », « J'ai toujours une demi-heure d'avance », « Moi, j'arrive un quart d'heure plus tôt… » Vu la constance de leur avance, ces personnes pourraient faire confiance à leurs capacités de maîtrise du temps et des horaires et s'ajuster... Mais non, preuve que leur inconscient a besoin de cette avance. Le retard signifie : « Je me pose en dominant, je suis rebelle », c'est en quelque sorte une colère non dite (aux parents). L'avance, c'est le versant soumission. C'est la peur qui dirige. « Je me pose en soumission. » Arriver en avance est souvent associé avec des difficultés à affronter les conflits.

Certains jouent des horaires selon les circonstances et sont en avance ou en retard tout à fait consciemment. « Pour un rendez-vous galant, je mets un point d'honneur à faire attendre. C'est comme ça, il faut que je sois en retard. Je ne veux pas arriver à l'heure, j'arrive avec 1/4 d'heure au moins de retard, pour me faire désirer. Avec mes amis, je n'accepte pas qu'ils soient en retard, et au travail, je suis toujours une demi-heure en avance pour pouvoir papoter avec les autres sans que cela ne prenne sur le travail. » Marie-José est dans un jeu de pouvoir permanent. Elle n'ose pas être elle-même, se montrer vulnérable, désirante. Ses rapports à autrui sont stratégiques plus qu'authentiques. Elle mettra un certain temps avant de risquer l'intimité.

La ponctualité est-elle un manque de politesse, un défaut de respect d'autrui ? Non, être à l'heure ou en retard satisfait bien d'autres enjeux.

La politesse, respect du code

La politesse consiste à respecter les codes sociaux et les rituels en vigueur dans la culture donnée. Nous apprenons la politesse avec nos parents, qui oublient parfois de nous signaler que ce n'est qu'un code social à usage plus ou moins restrictif voire privé. Les codes culturels ne sont qu'un langage, une convention sociale. Ce qui est poli ici ne l'est pas ailleurs] En France, il est de bon ton de finir son assiette. Invitée au Maroc, je faisais honneur aux plats délicieux qui défilaient devant moi. Le plat était au centre, chacun piochait dans le plat avec ses doigts. Je ne pouvais laisser repartir ce plat de tagine en en laissant... Je n'avais plus faim, mais pour confirmer à mes hôtes combien j'appréciais leur cuisine, je me suis fait un devoir de terminer le plat. Une fois le dernier gramme du plat avalé, je ne rencontrai pas les commentaires appréciateurs auxquels je m'attendais. J'appris par la suite que j'avais en fait mangé la part du personnel. Dans certaines familles, c'est la part des femmes quand ces dernières ne mangent pas en même temps que les hommes. Je m'étais conduite de manière inacceptable à leurs yeux, méprisant le personnel puisque ne lui laissant rien dans le plat. Il ne m'était pas venu une seconde à l'idée que le personnel attendait les restes pour manger. Dans mon cadre de référence, c'eût été une insulte que de leur servir des restes. Ceci dit, la signification de l'ordre dans lequel nous avons accès à la nourriture est la même pour tous les humains, c'est une loi universelle chez les mammifères que nous sommes malgré notre cerveau pensant. Partout, celui qui est haut dans la hiérarchie a le premier le choix de la nourriture, celui qui est en bas de l'échelle se contente des restes. Inconsciente de la force de la hiérarchie dans cette société du Maroc de l'époque (c'était en 1977), je n'avais pas pris la mesure de la situation.

Au Japon, dans les ryokans haut de gamme, le riz est servi en fin de repas. Si vous en mangez, cela signifie que le repas n'a pas été assez copieux. Invité, c'est presque une insulte à votre hôte que d'y goûter. Au pays du Soleil Levant, vos commensaux [1] s'attendent à ce que vous produisiez un grand slurp en aspirant vos nouilles. Pour la soupe,

---

1. Commensaux : ceux qui mangent à la même table.

procédez par petites aspirations sonores pour indiquer combien vous appréciez le mets. C'est un signe de politesse surprenant pour les Occidentaux qui font les gros yeux à leurs enfants quand ces derniers font ainsi du bruit en mangeant : « Tu es sale ! » Les Japonais sont-ils sales parce qu'ils font slurp en buvant leur soupe ? Ils sont bien plus propres que nous et se lavent bien davantage. Pour un Japonais, se laver les cheveux trois fois par jour est normal. Un Français, lui, se les lavera une fois tous les trois jours.

Pour les Jeux olympiques, les Chinois ont appris quelques règles de politesse européenne. Jusque récemment, ils crachaient par terre. Et considéraient comme non hygiénique le fait de conserver sa salive « usée » dans la bouche. Un Européen peut être offusqué de les voir dans le restaurant le plus huppé recracher à même la table ou le sol les noyaux, cartilages, os... Eux considèrent que mettre tout cela dans l'assiette est vraiment dégoûtant.

« Merci ! » Nos mamans nous l'ont dit, ce mot magique nous ouvrira bien des portes. Mais attention, là encore, rien d'universel. Ce n'est un mot magique qu'en Occident. Par exemple, utiliser le mot merci en Chine risque de froisser vos interlocuteurs. Surtout s'ils se considèrent comme vos amis. En Chine, dire merci n'est en aucun cas une marque de respect. Vos interlocuteurs comprennent que vous cherchez à les mettre à distance, ils risquent d'interpréter que vous dénigrez le cadeau qu'ils viennent de vous faire. Est-ce à dire qu'il ne faudrait pas montrer sa gratitude ? Non bien sûr, mais là-bas, le mot merci n'exprime pas la gratitude. Face à un Chinois, vous exprimez votre reconnaissance en faisant des compliments sur le repas, des commentaires positifs sur la qualité du moment passé ensemble. Merci n'est utilisé que lorsque vous ne trouvez rien de bon à dire ! Tiens, et pourquoi ne pas importer cette culture de la reconnaissance en Europe, en sus et non à la place de notre « merci » ? Décrire, nommer, mettre des mots sur ce que nous aimons nourrit bien davantage que le simple remerciement.]

Chaque pays a ses usages, qui mettent de l'ordre dans le quotidien. Une famille est un groupe social. Chaque groupe social, donc chaque famille, a sa culture propre, ses rituels, ses habitudes, ses règles... Chaque famille est un pays à lui seul, et développe une culture spécifique. Ce qui est poli ici est jugé impoli ailleurs. Dans certaines familles, on attend d'un enfant qu'il garde les yeux baissés face aux adultes. Dans d'autres, il doit regarder ses parents dans les yeux, sous peine d'être jugé insolent. Chaque famille a ses modes de fonctionnement, ses habitudes, le plus souvent tellement ancrées dans le quotidien qu'elles ne sont même pas conscientes. Elles ne le deviendront que lors de la confrontation à d'autres cultures familiales. « Tiens, ça se passe comme ça chez toi ? » Dans certaines familles, s'embrasser le matin en se levant et le soir en se couchant est un rituel important. Dans d'autres familles, on s'embrasse quand on a envie de s'embrasser, mais pas forcément le matin et le soir. Le souci vient de ce que notre culture nous semble non seulement la meilleure, mais la seule valable. La culture des autres nous semble étrange, inconvenante.

À l'école, chaque classe a sa culture propre ! Les règles ne sont pas identiques selon les enseignants. Certains acceptent que les élèves conservent leurs casquettes sur la tête et d'autres non. Certains exigent que vous vous leviez à leur arrivée, d'autres en sont choqués. Certains veulent que vous leviez le doigt, d'autres non... Les élèves sont projetés dans un monde arbitraire, anxiogène et donc facteur de violence [1].

---

1. Ce n'est évidemment pas la seule cause de la violence à l'école. Mais des règles unifiées pour tout le collège seraient un facteur de cohérence non négligeable.

Chaque classe sociale a ses codes. Éplucher votre banane avec fourchette et couteau vous fait repérer comme issu du NAP[1]. Une casquette à l'envers vous fait repérer comme Neuf-Trois[2]. Mais aujourd'hui, les frontières sont moins rigides. Il y a cinquante ans, le style vestimentaire vous définissait. Si vous étiez ouvrier, vous vous habilliez en ouvrier. Si vous étiez médecin, en médecin. On reconnaissait votre classe sociale à votre habit. Et si l'habit ne faisait déjà pas le moine, il portait votre identité groupale, permettait de vous situer. Ce n'est plus le cas aujourd'hui. Les codes ont explosé. Un jeune riche peut s'habiller en jean, une ouvrière mettre une jolie robe à dentelles. Les marques pointent encore une identité groupale, mais elle n'est plus socialement hiérarchique. Peu à peu, les codes, si importants au siècle dernier pour classer une personne, tombent en désuétude au profit d'une relation plus égalitaire. On ne vous fera plus les gros yeux dans un restaurant, même huppé, si vous vous trompez de couvert pour manger votre poisson. Vous pouvez verser votre vin dans le plus grand verre et votre eau dans le petit... Plus personne ne vous fera de remarque. En d'autres temps, vous auriez été repéré immédiatement comme « n'appartenant pas », et traité comme étranger. Avec mépris, le plus souvent. Mai 1968 a fait éclater nombre de codes trop rigides. Les étudiants ont tutoyé les profs, les filles pouvaient inviter les garçons, on pouvait faire l'amour sans se marier, s'habiller comme on voulait. Le mouvement vers l'individuation était en marche. De nos jours, les codes sont flous, le bien et le mal ne sont plus si évidemment séparés. Un divorce peut être un bien ou un mal. C'est une question de perspective, de contexte. Le langage des ados reflète bien cette sortie du manichéisme. Ils

1. Neuilly, Auteuil, Passy, les banlieues riches et chic de Paris.
2. Neuf-Trois, 93, département de la banlieue parisienne.

remplacent la négation par « ou pas », et l'acquiescement par
« aussi ».

— Tu vas au cours d'espagnol ?
— Ou pas.

— Tu peux prendre le bus.
— Aussi.

Cette sortie du manichéisme est un progrès. Les choses
ne sont pas blanches ou noires, elles ont toutes les teintes de
gris. Elles ne sont plus bien ou mal. Mais le monde est du
coup plus complexe. Chacun porte davantage de liberté mais
aussi de responsabilité. Les critères ne sont plus si bien
définis de l'extérieur. Cette nouvelle liberté ne va donc pas
sans l'émergence de nouvelles craintes. Les phobies sociales
explosent. Au siècle dernier, elles passaient facilement ina-
perçues.

Les codes reflètent la société. Désormais, au restaurant, le sommelier pose la question « qui goûte » ? Il y a
quelques années, le sommelier présentait automatiquement
la bouteille à l'homme. De nos jours, non seulement les
femmes goûtent le vin, mais elles ouvrent les bouteilles,
rompent le pain et découpent le gigot. Les hommes, eux,
débarrassent la table et font la vaisselle. De nouveaux rituels
rythment les vies d'aujourd'hui.

Comment continuer de **se sentir appartenir au groupe tout en étant soi** ? Tout au long de notre existence, nous luttons pour satisfaire deux profonds besoins : se séparer, se différencier, s'individuer tout en évitant la solitude, et se sentir appartenir sans être dans la fusion. La socialisation est une longue histoire oscillant entre ces deux pôles, ces deux besoins contradictoires.

Un code culturel n'est pas universel. Nos coutumes ne sont que des coutumes, des habitudes de notre groupe social. Elles sont des conventions utiles pour le vivre-ensemble au sein du groupe, elles sont des outils sociaux, elles ne sont que cela. Elles ne sont pas des vérités. Et nous ne risquons pas de brûler en enfer si nous ne les respectons pas.

Les lois de la relation, elles, sont universelles et si nous ne les respectons pas, notre vie pourrait bien devenir un enfer. Parmi ces lois, vraies pour toute l'espèce humaine, **la loi de réciprocité**.

6.

La loi de réciprocité

Jacqueline a un poste élevé dans une grande entreprise. Elle aime beaucoup Pauline, une jeune fille qui vient du même village qu'elle. Elle la prend sous son aile. Elle lui trouve du travail, un logement. À Noël ou à son anniversaire, elle la couvre de cadeaux somptueux. Pauline lui doit beaucoup. Un peu trop peut-être. Un beau jour, Pauline claque la porte en se répandant en invectives. Jacqueline est atterrée. Elle ne comprend pas cette attitude. Elle a été si généreuse avec Pauline, elle s'attendait à un minimum de reconnaissance. Au lieu de cela, elle se fait vilipender.

Faire des cadeaux, en recevoir, tout cela n'est pas si simple que cela en a l'air.

En Occident, le don « gratuit » et le sacrifice sont idéalisés. Mais si on peut donner sans attendre de retour, l'obligation de rendre fait partie de notre psychisme. Dans son *Essai sur le don*, Marcel Mauss montre comment le don crée la dette et comment toute dette doit être remboursée sous peine de graves dommages sociaux.

La réciprocité constitue le ciment des premières sociétés, les archéologues l'attestent depuis le paléolithique, elle est ancrée dans la psychologie humaine depuis des millénaires. Dans nombre de cultures, les échanges entre groupes sont ritualisés. L'ethnologie nous livre des observations fines qui nous permettent de mieux comprendre nos propres fonctionnements.

En 1922, l'anthropologue et ethnologue Bronislaw Malinowski décrit la *kula* en cours en Papouasie Nouvelle-Guinée. Il s'agit d'un système d'échange basé sur des prestations contre d'autres prestations. La *kula* est un échange mi-cérémonial, mi-commercial destiné à donner aux partenaires du prestige, du pouvoir social. Le commerce occidental est consumériste et très centré sur l'objet. Dans d'autres parties du monde, les échanges commerciaux ont pour but principal non la possession de l'objet, mais la relation. Les échanges égalitaires établissent des liens égalitaires, les échanges inégalitaires établissent des liens de domination et sujétion. Les premiers colons européens sur le continent américain ont exploité la tradition du *potlatch*. Le mot signifie « donner ». Le potlatch est une cérémonie de redistribution des biens. Les dons et contre-dons scellaient les liens entre les peuples. Les Amérindiens, habitués aux échanges équitables, croyaient que les colons respecteraient le code de réciprocité. En réalité, ces derniers n'ont donné que bimbeloterie en échange de l'or qu'ils recevaient, ce qui témoigne du mépris dans lequel ils les tenaient. Les Chinois avaient, eux, apporté aux Amérindiens des biens précieux [1].

Donner sans recevoir, recevoir sans donner, ces ruptures de la loi de réciprocité sont des actes de domination. Don et contre-don organisent la hiérarchie sociale et déterminent la domination des uns sur les autres.

---

1. On retrouve tout le long de la côte ouest des États-Unis des poteries Ming, des objets en jade, témoins du passage de la flotte chinoise dirigée par Zheng He lors de son exploration de 1421. Gavin Menzies, *1421*, éditions Intervalle, 2007.

Deux psychologues de l'université du Michigan ont montré [1] qu'un don trop important suscite une réaction de rejet chez toute personne qui redoute de ne pas pouvoir rendre l'équivalent. Toute personne privée de sa capacité de réciprocité ressent une frustration. Un cadeau trop fastueux empêche son récipiendaire d'exercer son « droit à la réciprocité » et le rend agressif ou distant. Celui qui donne est sujet, celui qui reçoit est objet. La dette sera payée par un comportement inconscient.

Donner, recevoir, sont des mouvements complexes. Donner, c'est prendre un risque relationnel, séparer un petit morceau de soi pour l'offrir à l'autre donc risquer de se sentir rejeté si l'autre n'accepte pas ou n'apprécie pas le cadeau.

Donner, c'est d'abord arriver à se séparer d'un petit bout de soi. Pas si simple à certains âges de l'enfance quand on n'est pas encore bien certain des frontières de son Moi. La pelle et le seau du petit de trois ans sont son prolongement. « C'est à moi ! » Même les prêter lui est insupportable car il est dans l'élaboration de son sentiment d'identité. C'est aussi une période au cours de laquelle il tente de faire plier son entourage à ses règles, il éprouve la continuité entre lui et les autres. Les parents, ne comprenant pas toujours ce que l'enfant traverse, se plaignent « c'est un vrai tyran, il cherche à me diriger ». L'enfant est surtout aux prises avec la problématique « qui suis-je, est-ce que je peux permettre aux autres d'être différents de moi sans être détruit ? » Quand il devient capable de donner, c'est le signe qu'il perçoit l'autre comme séparé de lui et que cela ne le menace plus. Les petits de quatre ans sont parfois époustouflants de générosité, en réalité, ils sont éblouis eux-mêmes de découvrir qu'ils peuvent avoir des relations avec des gens clairement distincts d'eux.

1. Article *Cerveau et psycho*, n° 7.

Des gens dont ils ne sont pas le prolongement et qui ne sont pas leur prolongement, des « autres ». À cet âge, cette acquisition n'est pas encore totale bien sûr. Le travail sera remis sur le métier plusieurs fois. Certains adultes ne l'ont pas encore réalisée et restent enfermés dans l'égocentrisme, ramenant à eux tout ce qui se passe autour d'eux, interprétant les comportements des autres comme dirigés contre eux. Dans la rue, Patrick voit un groupe de gens pouffer de rire, il n'arrive pas à se dissocier de lui-même, il interprète : « Ils se moquent de moi. » Il a du mal à envisager que les autres ont une vie sans lien avec la sienne et des motivations indépendantes.

Donner, c'est reconnaître en face de soi l'existence de l'autre, le voir comme différent de soi. Ce qui m'appartient t'appartient désormais. Ce qui faisait partie de moi, fait maintenant partie de toi.

On ne peut donner que parce que l'on possède. Que ressentez-vous quand vous donnez ? Une fois dépassée l'épreuve de la séparation d'un bout de soi, cela procure des sentiments plutôt agréables. Celui qui donne se vit comme opulent, puissant. Il s'éprouve comme capable d'offrir, donc riche. À bien réfléchir, donner n'est peut-être pas si altruiste que cela ! Donner permet en effet de se sentir riche, plus riche que celui à qui on donne. Je donne parce que je peux le faire. Donner peut être un acte égoïste en ce sens que celui qui donne y trouve une valorisation personnelle. Celui qui donne est actif, il s'éprouve comme actif, il est valorisé par l'acte même de donner. Il est valorisé une seconde fois si le récipiendaire accepte son cadeau, car alors ce dernier reconnaît la valeur de l'objet pour son propre usage, il le reconnaît comme digne d'intérêt. Le donneur prend du pouvoir sur le récipiendaire, puisqu'une petite partie de lui sera désormais chez l'autre. En outre, il oblige l'autre.

« Maman, j'en ai assez de tes cadeaux, je te demande de ne plus me faire de cadeau. Tu me donnes tellement de choses que mon appartement est décoré par toi ! » Chaque fois qu'elle voyait quelque chose susceptible de plaire à sa fille, Barbara le lui achetait. Elle ne venait jamais les mains vides et comme elle allait souvent chez sa fille, elle apportait beaucoup de choses, de petits objets de décoration et des étoffes, des objets utiles aussi. Elle n'avait pas le moins du monde conscience d'envahir l'espace de sa fille. Offrir, c'est mettre une partie de soi chez l'autre. C'est dur pour une maman de permettre à son enfant de se construire séparément, mais c'est le chemin ! Centrée sur elle-même, toute à son désir de faire plaisir, Barbara ne voyait pas les implications de son comportement. Sa fille se sentait non seulement envahie par cette avalanche de cadeaux, mais dévalorisée, elle entendait : « Tu n'es pas capable de choisir par toi-même une décoration sympa, je le fais pour toi. »

Nombre de mamans ont, comme Barbara, tendance à vouloir donner à leurs enfants devenus adultes. « Tu ne veux pas le service à thé de tante Paule, il est si beau ? Tu peux prendre le buffet de l'entrée. Je te donne le lit de ta grand-mère, ça te dépannera. » Et parce que l'enfant a beau être devenu adulte, il ne veut pas faire de peine à sa maman, et de plus, c'est vrai que ça le dépanne... Il prend. Mais bientôt il se sent asphyxié par ces objets qui parlent de son passé, de son histoire et qui l'empêchent de se construire sa propre aventure.

Le récipiendaire est l'obligé, il est en dette jusqu'à ce qu'il rende. Celui qui reçoit est honoré par le cadeau, à condition qu'il puisse rendre la pareille. Le récipiendaire est passif, il se vit comme passif, il est soumis et est donc dévalorisé par l'acte même de recevoir. Tant qu'il est débiteur, il est dépendant et infériorisé.

Être cantonné dans le rôle de celui qui reçoit est humiliant. S'il reste des associations dites de bienfaisance qui soutiennent le don aux pauvres, elles sont de plus en plus nombreuses à se distinguer par leur refus du don. En effet, dévalorisation, humiliation, perte de dignité et passivité, les effets pervers du don ont été remarqués. Si le donateur est grandi par son don (je suis généreux, je suis bon), le récipiendaire en est, lui, diminué. Plus le don est au-delà de ce qu'il peut rendre, plus ce dernier se sent humilié. Il est content de recevoir ce dont il a besoin, certes, mais au prix de son image de lui-même et de sa place dans la société. À ATD quart-monde, Emmaüs et d'autres, les vêtements, la nourriture, les meubles et objets confiés à l'association ne sont jamais donnés, ils sont vendus. Le prix est minime, mais c'est un prix. De cette manière, les personnes ont le sentiment d'acquérir par eux-mêmes les biens dont ils ont besoin. La dignité est au moins aussi importante que le pain. Recevoir sans contrepartie entretient aussi la passivité. Le récipiendaire est considéré comme non compétent, il se vit ainsi et ne bouge plus pour lui-même. Les projets humanitaires qui marchent au long cours sont les projets en fait plus humanistes qu'humanitaires. Ce sont ceux qui impliquent une participation active et une responsabilisation des individus. Il n'y a plus un aidant et un aidé, mais deux parties qui travaillent ensemble à un projet. On ne leur installe pas clé en main un système d'irrigation ou une école. On les accompagne tant dans le projet que dans sa réalisation. C'est une coopération entre les donateurs et eux.

Les repas de famille peuvent être de chaleureuses rencontres, on s'y ressource, on sent le lien qui nous relie. Pour d'autres ou d'autres fois, c'est un *pensum*. On y va parce qu'on se sent obligé d'y participer. Pour la trêve de Noël, à l'occasion d'un mariage, d'un baptême ou d'un enterrement, chacun y met du sien pour ne pas agresser les autres. Mais même lors de ces rencontres, il n'est pas toujours facile de ne pas laisser la situation dégénérer. La famille est réunie et les prises de pouvoir rejouent les jalousies non réglées du passé. On peut regarder et analyser ces animosités sous l'angle de la loi de réciprocité. Les dons de chacun définissent la hiérarchie. Dons et contre-dons régulent les relations.

Florence supportait mal les repas dans sa famille. Elle vivait à Paris, et lorsqu'elle « descendait » dans sa campagne d'origine, elle était invitée à mettre les pieds sous la table. Dans les grandes occasions, c'était toujours sa sœur aînée qui préparait tout. Rien n'était attendu d'elle. Au début, elle trouvait cela normal. Elle venait de loin, elle ne pouvait apporter un plat préparé. Son père avait de bonnes bouteilles à la cave. Les produits du jardin étaient forcément meilleurs que les produits parisiens. Qu'aurait-elle pu apporter ? De plus, elle l'a vite remarqué, les rares fois où elle était venue avec une bouteille, une boîte de confiseries ou une conserve, le cadeau avait été accueilli de façon mitigée. Ils le vivaient comme une dévalorisation. C'était comme si elle avait dit « à Paris, c'est mieux ! ». Bref, elle avait stoppé tout effort. Mais peu à peu, c'est elle qui s'est sentie dévalorisée.

Sa sœur aînée occupait le terrain. Elle préparait tout, mettait les petits plats dans les grands. De plus, elle parlait sans cesse, et ce, sans jamais poser une question à Florence sur sa vie. Florence se sentait transparente. Elle en était venue à se demander pourquoi elle y allait. Pourtant, le jour où elle a annoncé qu'elle ne descendrait pas à Noël, ce fut la consternation. Une fois de plus, elle les humiliait ! Enfin, c'est ainsi qu'ils le vivaient. Car à leurs yeux, Paris, c'était la grande ville. Ils étaient très ambivalents vis-à-vis de Florence. À leurs voisins, les parents confiaient combien ils étaient fiers de leur fille, et Mathilde de sa sœur. Ils tiraient valorisation d'avoir un membre de la famille qui réussissait à

Paris. Mais la contrepartie était qu'ils se sentaient humiliés. Humiliés de n'être que des bouseux, de ne pas avoir été à l'école comme elle. Ils tentaient de se revaloriser en donnant, en se mettant en avant. Florence prenait tellement de place dans leur vie, qu'ils devaient diminuer l'espace qu'ils lui laissaient quand elle était là pour tenter d'exister.

C'est bien agréable parfois de mettre les pieds sous la table, mais il n'est pas confortable de se sentir en dette. C'est la raison pour laquelle l'invité apporte des fleurs. D'autres « payent » en animant la soirée. Ils font la conversation, racontent des blagues, centrent l'attention sur eux. Ils peuvent venir les mains vides et ne rien faire, on leur pardonne tout.

Attention aux prises de pouvoir et aux provocations de celui qui participe le moins. Martine met le plat sur la table et sert son mari. Hubert hume et critique avant même de goûter. « C'est bien trop cuit ! Décidément, tu mets trop de sel ! Tu ne sauras jamais faire la cuisine ma pauvre ! » Martine ne dit rien. Hubert trouve toujours quelque chose à redire à sa cuisine. Elle croit qu'il est comme ça. Elle croit aussi qu'elle ne fera jamais la cuisine aussi bien que sa belle-mère. En réalité, le problème est dans la dynamique qui s'est installée entre eux. Tant qu'il sera passif et attendra les plats les pieds sous la table, il tentera de justifier sa passivité en lui faisant croire qu'elle doit en faire davantage. Il doit la punir, la dévaloriser, la réduire à la situation de servante pour justifier que lui ne fasse rien. Il n'est pas rare qu'un mari qui ne participe pas du tout aux tâches ménagères se montre très agressif et dominateur. La femme fait chaque jour davantage d'efforts pour plaire... Elle n'a pas conscience d'augmenter ainsi l'agressivité de son mari. La clé ? Cesser de faire toujours plus de choses, et changer ! L'inciter à faire, non pas pour le punir, mais simplement parce que s'il est actif, son agressivité liée à la passivité diminuera. Ne serait-ce que s'il se sert lui-même. S'il parti-cipe, dans un premier temps ne serait-ce qu'en allant cher-cher le plat dans le four, il se sentira responsable lui aussi du repas, et sera valorisé par l'activité. Il aura un peu moins besoin de diminuer sa femme.

On se sent en dette quand on a reçu. On peut aussi se sentir terriblement en dette lorsqu'on n'a pas reçu alors qu'on était en droit de recevoir. Cette dynamique qui peut paraître paradoxale est active entre un enfant et ses parents. Un enfant qui a été aimé ne se sent pas en dette envers ses parents parce que ces derniers ont été payés en direct par l'échange d'amour. Ils ont aimé, donc pris plaisir à vivre avec leur enfant. Aucune dette ne s'est accumulée. En revanche, un enfant qui n'a pas reçu d'amour, est en dette. Ses parents l'ont assumé, même s'ils l'ont ignoré ou mal-traité, alors qu'ils ne l'aimaient pas. Adulte, un enfant insuf-fisamment aimé peut chercher à donner sans cesse, à tout le monde, comme pour effacer sa dette. Une dette d'autant plus grande envers ses parents qu'il aura été peu aimé. Quand on a fait sentir à un enfant qu'il était de trop, quand on lui a mis dans la tête qu'il devait de la gratitude à ses parents, il se sent en dette du simple fait d'être en vie. Par la suite, partout et en toutes circonstances, il se sent systématiquement débi-teur. Il reste étonné quand les autres s'intéressent à lui, et les noie sous les présents.

Il y a aussi des personnes qui ne donnent jamais rien. Elles n'ont même pas l'espoir de se faire aimer. Elles ont appris à être « fortes », elles se sont blindées contre leurs émotions et préfèrent éviter toute relation. Elles ne veulent pas recevoir de cadeau car ne désirent pas éprouver de grati-tude. Quand on a été trop humilié, dévalorisé, que ce soit dans la vie actuelle ou dans son enfance, on a l'impression d'être vide, de ne pas avoir d'intérêt, on croit ne rien avoir à donner. Alors, on ne donne pas. Ce n'est pas de l'égoïsme.

L'égoïste fait passer son Moi, son Ego avant les autres. Celui qui ne donne pas n'a justement pas assez d'Ego.

Il est fréquent que ceux qui donnent peu n'aiment pas recevoir non plus. Car recevoir, c'est accepter l'échange, c'est entrer dans une dynamique de réciprocité, et donc en définitive accepter un lien. Or, ces personnes fuient le lien, fuient la relation. Recevoir, c'est aussi se sentir digne d'intérêt. Annette n'aimait pas recevoir. Quand on lui faisait un cadeau, elle détestait avoir à dire merci. Elle disait « Il ne faut pas, je ne suis pas importante ». Ses petits-enfants tentaient de lui dire que si, elle était importante à leurs yeux. Mais elle savait ce qu'elle avait fait. Annette se sentait indigne de recevoir. D'une part, quand elle était petite, ses parents lui avaient fait comprendre combien elle était une mauvaise fille, d'autre part, une fois adulte, elle s'était effectivement comportée très cruellement envers ses propres enfants. À la fin de sa vie, elle donnait à son concierge un gros billet de 500 euros à chaque fois qu'il faisait quelque chose pour elle. Elle pensait avoir si peu de valeur en tant que personne et se vivait comme dépendante de cet homme. Il lui semblait nécessaire de l'acheter sans quoi il ne serait pas monté. Elle ne pouvait imaginer que sa vie puisse avoir de la valeur aux yeux d'autrui et qu'une personne pût faire quelque chose pour elle « gratuitement ».

Un cadeau est un message, conscient ou inconscient. Que dîtes-vous avec votre cadeau ? Tentez-vous comme Annette d'acheter la gentillesse de l'autre ? Souvent nous faisons des cadeaux pour apaiser un conflit.

Une blague raconte qu'un fleuriste avait mis en vitrine différentes tailles de bouquets avec ces commentaires : Grosse connerie, moyenne connerie, petite connerie. Le mari coupable pouvait ainsi choisir un bouquet proportionnel à la faute à se faire pardonner. De manière générale, le cadeau a pour but d'apaiser l'autre. Bien que le coup de la bague offerte pour raviver la flamme de l'amour ne fonctionne guère que dans les films.

Nous ne mettons pas forcément de message conscient dans notre présent, mais le récipiendaire peut l'interpréter. Patricia s'est sentie vexée par la boîte de six savons parfumés offerts par sa belle-sœur, « comme si je ne me lavais pas ».

Mieux vaut ne pas tenter d'estimer la valeur de la relation à la valeur du cadeau. Tant de facteurs interviennent dans le choix. Au lieu de tenter d'interpréter ce que la personne vous dit dans et par ce présent, écoutez ce qu'elle dit d'elle-même. C'est elle qui a choisi. Le cadeau qu'elle vous offre est le résultat d'un dialogue avec elle-même. L'objet parle peut-être de la relation qu'elle a avec vous, mais il parle encore davantage de la relation qu'elle a envers elle-même. Les billets de 500 euros donnés par Annette ne disaient rien du concierge, qui d'ailleurs était gêné de les accepter. Ils parlaient de la dette d'Annette envers ses parents.

Jean-Philippe fait des cadeaux étranges, inattendus, il exprime ainsi son originalité.

Marie-Émeline offre des babioles sans intérêt. Elle dit son sentiment d'infériorité, ses peurs, son sentiment d'insignifiance davantage qu'elle ne vous dit que vous êtes insignifiant à ses yeux. Même si bien sûr, c'est parfois le cas.

Stéphane achète un peu n'importe quoi. Ce qui lui tombe sous la main. Il fait des cadeaux régulièrement à son entourage, aux femmes surtout, mais semble ne pas attacher d'importance aux objets qu'il offre. En réalité, Stéphane préfère ne pas vraiment choisir pour réduire le risque de rejet. Son raisonnement est qu'il serait plus douloureux de constater qu'un présent déplaît s'il l'a choisi avec attention que s'il ne l'a pas vraiment choisi.

Sophie offre ce qu'elle aime. Elle voit une chose qui lui plaît dans une boutique, elle le prend. Puis, elle vous l'offre.

Le cadeau n'est pas vraiment pour vous. Elle avait plaisir à acheter cet objet. Elle l'a possédé quelques instants.

Hélène fait des cadeaux somptueux, davantage pour montrer sa suprématie et étaler son pouvoir d'achat que pour vous faire plaisir. Elle veut que vous vous sentiez plein d'admiration et de gratitude à son égard.

Et vous, comment donnez-vous des cadeaux ? Vous dépêchez-vous de faire les boutiques à la dernière minute pour « trouver quelque chose », ou pensez-vous longuement à la personne pour lui acheter ou lui fabriquer un présent qui vous ressemble et lui ressemble, qui vous unit ?

On donne des cadeaux, mais aussi du temps, de l'attention, de l'aide... Et souvent les parents me demandent : « Comment puis-je donner confiance en lui à mon enfant ? »

Donner trop diminue l'autre

Peut-on donner confiance en soi à quelqu'un ? Pour lui donner confiance, les mamans et les papas font des compliments. Ils sont tout démunis quand par la suite, leur enfant n'a guère plus confiance en lui que ses condisciples qui eux ont été jugés, dévalorisés. Nous ne pouvons « donner » la confiance en soi. C'est quelque chose qui se construit à l'intérieur de soi. Ce que nous pouvons faire en tant que parent, c'est offrir à l'enfant l'espace et l'expérience qui lui permettent de la construire en lui. On peut l'aider à prendre confiance en lui, mais c'est lui qui doit prendre confiance.

Donner de la sécurité est bien sûr approprié face à un nourrisson. Quand l'enfant grandit, il a davantage besoin d'espace donc de distance avec le parent, pour faire par lui-même, il a besoin de permissions d'explorer, de réussir ET de permissions de RATER. Il a besoin de liberté pour s'éprouver comme sujet, de manière à ce qu'il s'expérimente comme capable. La dépendance ne confère qu'un illusoire sentiment de sécurité, tant que l'autre est là pour nous prendre en charge, avec toujours la crainte que ce soutien ne se retire. L'énergie et l'attention sont focalisées sur la présence du soutien, et non mobilisées pour créer. L'enfant doit toujours rater un peu pour continuer de vérifier si sa maman est toujours à ses côtés.

Si nous nous souvenons que donner valorise, permettre aux autres de nous donner les rassure et leur donne confiance en eux. Parfois, on donne davantage en recevant qu'en donnant. Un enfant, un adolescent, puis un adulte, ont davantage confiance en eux s'ils ont eu à prendre des responsabilités et ont été en situation de donner, de faire pour autrui que si on les a « sécurisés » en étant présent à tous leurs besoins.

Si donner est si gratifiant, comment se fait-il que nous ayons parfois tant de mal à demander ?

Déloger la peur de déranger

Demander, c'est créer du lien. La crainte de déranger nous retient souvent de faire des demandes. Il vous manque un peu de farine ou un œuf... Il est probable que votre voisin en ait. Mais s'interpose le « Je ne veux pas le déranger ». Pourtant, vos voisins ne vous en apprécieront que davantage, si vous leur empruntez de temps à autre une gousse d'ail ou de la farine, à condition de ne pas exagérer bien sûr et de respecter la loi de réciprocité. Peut-être d'ailleurs est-ce là une clé de compréhension de nos hésitations. En réalité, sous l'excuse « Je ne veux pas déranger » ne se dissimulerait-il pas le refus d'être débiteur : « Je ne veux rien leur devoir ! »

Hormis quelques rares cas pathologiques, tout le monde aimera vous dépanner, tout le monde se sentira impliqué et valorisé par votre demande et désirera vous aider. Vos parents vous ont peut-être appris à ne pas déranger. Pour être poli, vous ne demandez rien. Mais ne rien demander, c'est en définitive considérer l'autre comme inexistant et sans valeur. Demander, c'est créer du lien.

Nous dînons au restaurant japonais, nous consultons la carte. J'ai envie d'un sushi qui n'est pas sur la carte. Mon commensal s'insurge. Tu ne vas pas lui demander, s'ils ne l'ont pas mis sur la carte, c'est qu'ils n'en ont pas... Je m'adresse au cuisinier de l'autre côté du bar. Vous avez de l'unagi[1] ? Il me regarde effaré. Mon ami : « Tu vois, tu le mets mal à l'aise ! » Le cuisinier cherche un peu partout dans les frigos, il hèle ses copains, conciliabules... Cinq minutes plus tard, le cuisinier m'apporte ma paire de sushis d'un air victorieux. Tout au long du repas, il me sourit, est attentif à mes besoins. Eh oui, j'ai bien fait de le déranger ! Je lui avais donné l'occasion de faire quelque chose de spécial pour moi, de sortir de ses habitudes, et finalement d'avoir le sentiment d'exercer vraiment avec compétence son métier.

Nous dînons au lycée-hôtelier, les jeunes en formation ont fait le repas. Terrine de Saint-Jacques aux violettes sur lit de fleurs des champs, caille farcie. Tout est délicieux, mais la caille n'est vraiment pas assez cuite. Je hèle un lycéen pour le lui signaler. À ma table, tous ont plongé le nez dans leur assiette, semblant murmurer : « Nous n'y sommes pour rien, cette caille est parfaite, cette dame exagère. » Pourtant leurs petites volailles presque crues resteront sur le bord de leur assiette. Aucun, bien sûr, ne pourra la manger. Mais ils « ne veulent pas déranger ». Le jeune prend mon assiette et me la rapporte avec un grand sourire quelques minutes plus tard. Ils ont bien travaillé, comme des pros. Toute la décoration a été reprise, l'assiette est parfaite. Après le digestif, lorsque je sors, le garçon qui avait ainsi

---

1. Anguille grillée.

travaillé pour moi m'a décoché un immense sourire. J'avais établi une relation. En revanche, je peux imaginer les regards dépités lorsqu'ils ont découvert les cailles non mangées dans les assiettes des autres convives. Ces derniers avaient mis en avant une peur de déranger, un désir de ne pas blesser les jeunes. La réalité, c'est qu'ils ont fait passer leur peur de s'affirmer et de parler en public avant le besoin de ces apprentis. Ils les ont contraints à vivre un sentiment de culpabilité en découvrant les cailles auxquelles ils n'avaient pas touché. Ils les ont humiliés. La politesse n'est décidément pas où on la croit !

« Je ne veux pas l'embêter, je ne veux pas lui poser de problème. » Mais c'est justement ce qui est intéressant dans la vie, les problèmes ! Quand une personne peut résoudre un problème pour vous, elle se sent doublement valorisée. Elle a résolu un problème et elle a fait quelque chose pour autrui, elle a donné, elle s'est sentie utile. Dans l'avion, je vois que l'hôtesse enlève la bouteille de champagne, vide. Je lui demande... du champagne, non pas pour l'embêter, mais parce que j'en ai envie. Mais j'ai bien vu qu'elle avait terminé sa bouteille. Je l'oblige donc à aller chercher une autre bouteille. Un peu plus tard, avec le dîner, je lui demande du vin rouge. Elle n'en a plus ! Décidément ! Sourires, complicité.

Certes, il arrive de tomber sur une personne qui n'aime pas son métier et dont la seule aspiration est de terminer au plus vite... Est-ce si fréquent ? Ne dissimulons-nous pas nos peurs ? Oser poser des problèmes à autrui, c'est oser la relation.

Les trois mots magiques :
s'il te plaît, merci, pardon

La formule « S'il te plaît » est bien ironique puisque le plus souvent, il ne plaît pas vraiment à l'autre de faire ce que vous lui demandez si gentiment de faire. Il le fait en réalité pour vous plaire à vous. Nous pourrions plus justement dire « Il me plairait que tu me passasses le pain ». Mais pour obtenir quelque chose nous avons davantage intérêt à nous centrer sur l'autre. La formule « S'il te plaît » signifie en fait « Je reconnais que tu es libre de refuser ». Cette liberté est essentielle pour que notre demande ne paraisse pas une exigence. Personne n'aime se sentir contraint. Personne n'aime recevoir des ordres. S'il te plaît rend la liberté à l'autre, il est davantage disposé à nous faire plaisir.

Un jour, mon fils de quatre ans sort d'une boutique en disant un sonore et vibrant « Merci monsieur. » Comme je l'interroge sur cet accès de politesse, il me répond : « Il m'a donné un jouet donc je lui dis merci, comme ça, la prochaine fois, il me donnera encore des cadeaux. » C'est un merci stratégique. Il a bien compris la loi de réciprocité !

Le remerciement signe l'acceptation du cadeau. Un don qui n'est pas suivi d'un remerciement reste un acte en suspens. Quelque chose n'est pas terminé dans la relation et met le donneur en état d'attente. Merci signifie « J'ai reçu assez pour cette fois » et surtout, il dit au donneur : « J'accepte ce que tu m'as donné, je vais l'utiliser, le faire mien, je considère donc que ce que tu m'as donné a de la valeur, tu as donc de la valeur à mes yeux. »

Il y a le merci de politesse, et le merci du cœur. Le merci de politesse est dit de manière stéréotypée et sans conscience. Le merci du cœur s'adresse vraiment à l'autre. On ne dit pas « merci » parce qu'il faut le dire, mais parce que nous éprouvons un sentiment de gratitude.

Votre maman avait raison (dans notre culture) : ces mots sont magiques !

L'ambivalence de la gratitude

Vous souvenez-vous de ce film ? Deux prétendants se disputent la main d'une jeune fille. Le père de la jeune femme tombe dans un trou, un des prétendants lui sauve la vie. L'autre croit que la main de la fille est perdue pour lui... Mais lorsqu'il se retrouve à son tour en fâcheuse posture, le père le sauve. Devinez à qui ce papa a donné la main de sa fille ? À celui qu'il avait sauvé et non à celui qui l'avait sauvé ! La position d'une apostrophe de différence à l'écrit, mais une inversion complète des rapports de pouvoir.

Tout le monde s'attend à ce que le papa, éperdu de reconnaissance, donne sa fille à celui grâce à qui il est encore vivant. Mais la perspective de voir son sauveur jour après jour lui rappeler sa dette était insupportable. Cet homme n'avait pas envie de déjeuner le dimanche avec quelqu'un qui lui rappelait qu'il était tombé et qu'il avait eu besoin d'aide. Il ne voulait pas d'un gendre qui lui soit supérieur. Il a donc donné la main de sa fille à celui qui lui était redevable, celui auprès de qui il se sentait fier, courageux, valorisé, supérieur. Évidemment, cela ne signifie pas que le sentiment de gratitude n'existe pas. C'est un film burlesque aux traits grossiers, qui contient cependant une vérité universelle, même si elle n'est pas facile à accepter parce qu'elle ne nous donne pas une belle image de nous-mêmes.

À la question d'un journaliste : « Que pensez-vous de la civilisation occidentale ? » le Mahatma Gandhi avait songé un instant, puis répondu : « Ce serait une bonne idée. »

Et si nous y réfléchissions ? Et si nous commencions à douter de notre « bonne éducation » et à en observer les conséquences ? Dans notre société, donner est volontiers présenté comme « bien », refuser et même demander sont, eux, connotés comme « mal ». Pourtant si un don peut effectivement construire le lien, il peut aussi dévaloriser. Un cadeau peut illuminer la relation ou être une manifestation de domination. Interdire le refus permet d'installer la domination. Donner la permission aux autres de refuser, c'est leur donner de la liberté, les respecter dans leurs droits. Demander peut être vécu comme humiliant, mais c'est aussi sortir de l'humiliation et créer du lien. Rien n'est ni tout blanc, ni tout noir. La vie est complexe et ne peut se réduire à quelques poncifs « Tiens-toi comme ci ou comme ça ». On peut faire mal à autrui en se croyant du côté du bien. Nos bonnes intentions ne sont pas forcément très civiles en ce sens qu'elles ne sont pas forcément respectueuses des sentiments et des besoins d'autrui. Et vice versa, d'ailleurs ! Il arrive que les bonnes intentions des autres maltraitent nos sentiments...

Donner, demander, recevoir, refuser, sont les verbes de la relation. La manière dont nous les conjuguons fait l'harmonie ou la disharmonie de nos échanges avec autrui.

7.

Le pouvoir des autres

Dans une boutique de location, je loue des chaussures et des skis pour la journée. J'essaye une première paire. Mes orteils touchent le bout de la chaussure. Le vendeur tente de me convaincre que c'est à ma taille, mais je m'imagine mal skier toute une journée avec les orteils coincés. De mauvaise grâce, le vendeur sort une autre paire. Cette fois, le chausson est beaucoup plus large, je me sens plus à mon aise, mais la chaussure me blesse au mollet. C'est la même pointure ! me dit l'homme d'un air méprisant. À vrai dire, je ne sais pas s'il était réellement méprisant. Toutefois, comme il n'arborait pas un franc sourire, je pouvais imaginer que je l'embêtais. La chaussure me serrait en haut. Je n'étais pas vraiment bien, mais, docile, pour ne pas fâcher l'homme, je décidai que ça irait pour la journée. J'ai évidemment très peu skié tant j'étais mal dans ma chaussure. Rapportant le fait au loueur en même temps que les chaussures, je n'ai rencontré qu'indifférence.

Le lendemain matin, j'ai essayé trois paires sous l'œil désespéré du loueur. Je finis par en prendre une, vaincue par son : « Vous verrez, ça ira, il suffit de laisser le crochet du haut ouvert. » Ce jour-là, je terminai ma journée de ski avec non seulement le crochet du haut ouvert, mais tous les crochets. Malgré cela, ma jambe, comprimée, était devenue bleue.

Le surlendemain, j'avais trois choix possibles : abandonner le ski, affronter de nouveau mes loueurs ou changer de boutique. Une espèce de fidélité me retenait bêtement d'aller ailleurs. Ils avaient déjà fait des efforts pour tenter de me satisfaire (en tout cas, je voulais le croire), je n'allais pas leur faire ça ! En fait, je les avais embêtés, je me sentais donc débitrice. La loi de réciprocité me plaçait en dette puisqu'ils avaient fait des efforts pour moi. Me souvenant un instant que j'étais la cliente et que j'avais déjà skié deux jours avec des chaussures qui ne m'allaient pas. Je me suis tout de même dirigée vers la boutique voisine. Mais cette dernière étant surpeuplée, je décidai de retourner dans la première, tout en me faisant la réflexion que le fait qu'elle soit quasi déserte n'était peut-être pas un hasard. Cette fois, j'eus droit à des chaussures qui m'allaient vraiment comme un gant. Pendant que je me chaussais, un jeune homme rapportait ses chaussures en se plaignant d'une douleur devant... Le loueur commença comme avec moi la veille, à lui faire la leçon.

« Il faut mettre la languette comme ceci, bien la tirer, vous allez voir, ça va aller mieux... Alors ça ne va pas mieux ?

— Si, ça va mieux... » susurra le gars en hésitant.

Je m'apprêtais à intervenir, quand la jeune femme qui l'accompagnait prit la parole :

« Tu es sûr que tu es bien ? Il vaut mieux en changer si tu n'es pas bien.

— Oh, je vous la change sans problème ! intervint le loueur tout en espérant qu'on ne le lui demanderait pas.

— Oui, je veux bien changer » osa enfin le jeune.

Un témoin actif et bienveillant fait office de tiers et donne la permission de résister à la pression. Sans ce tiers, il n'est pas facile de dire non ! Combien de chaussures, manteaux, tailleurs, pulls traînent dans nos placards pendant des années. Ils sont neufs, on ne les a jamais mis. Nous les avons achetés sous la pression des vendeurs. « Il vous va à ravir ! » On se laisse convaincre, tout le monde a envie d'être jolie ou de se débarrasser du vendeur en lui achetant son produit. Résister à ce type de pression nécessite une bonne dose de sécurité de base et une bonne confiance en ses sensations et besoins. Une tierce personne, jouant le rôle de témoin actif, donne de la solidité. Son intervention, si bien sûr elle va dans le sens de nous donner la permission de sentir, nous permet de nous recentrer sur nous-même.

La peur de l'autorité se manifeste particulièrement dans les situations de dépendance. La loi de réciprocité joue alors à plein et nous enferme un peu plus. Le patient s'évertue à être gentil pour obtenir d'être bien soigné par le médecin. À l'hôpital, face au docteur, la plupart des patients perdent leur superbe. Ils posent toutes sortes de questions aux infirmières, les accablent de doléances. Les infirmières n'en peuvent plus. « Vous le direz au docteur. » Pourtant, dès que le médecin paraît, les patients oublient tout ce qu'ils avaient à dire.

Hospitalisée suite à la naissance par césarienne de ma fille, je me suis vue victime de ce syndrome. Atteinte de ce qui n'était pas encore diagnostiqué comme une septicémie, je naviguais entre 39 et 40 °C avec des pointes à 41 °C. J'étais dans une extrême fatigue, je souffrais terriblement mais je n'arrivais pas à dire au médecin ce que je voulais. Quand il entrait, tout s'effaçait dans ma tête et je lui souriais. Je m'en voulais mais ne pouvais qu'observer le phénomène. J'ai dû écrire sur un petit carnet ce que j'avais à lui dire pour ne pas oublier. Vexé à l'idée que nous puissions suspecter qu'il y ait des germes dans son hôpital, il refusait de faire la prise de sang qui pouvait permettre d'identifier une éventuelle septicémie. Il avait ma vie entre ses mains. Cette extrême dépendance à son égard me menait inconsciemment à chercher à être gentille, à l'amadouer. Une infirmière de nuit a heureusement osé braver l'interdit et a pris sur elle de faire l'hémoculture. Je lui dois la vie, et je ne sais même pas son nom. Elle dira qu'elle n'a fait que son devoir, elle a désobéi à son chef et ce n'est pas rien[1]. Deux jours de plus, et je n'étais plus là. Vous devez ce livre à la désobéissance d'une femme. Je n'ai pas réalisé le courage de son geste sur le moment, ni même sa portée. Je la remercie ici en espérant qu'elle se reconnaîtra.

Quand la responsabilité est diluée

En 1964, aux États-Unis, une femme a été tuée dans la rue sous le regard de pas moins de trente-huit personnes postées à leurs fenêtres. Agressée, la femme a crié au secours. Les fenêtres se sont ouvertes, les gens ont regardé, mais ont été des témoins passifs. Les cris de sa victime l'avaient un instant stoppé, mais comme les gens regardaient sans intervenir ni appeler la police, l'assassin a entendu la permission et a terminé son travail sous les yeux de tous. Quand l'événement a été connu, chacun a crié au scandale et jugé très durement les témoins passifs : « Moi, je serais intervenu ! » Mais les expériences de psychologie sociale

---

[1]. Une expérience a montré que neuf infirmières sur dix étaient prêtes à donner une dose potentiellement dangereuse à un patient en obéissant à un ordre donné par téléphone par un médecin qu'elles ne connaissaient pas vraiment. (Hofling, 1966) http://www.psychoweb.fr/articles/psychologie-sociale/243-meurtre-avec-deresponsabilisation-la-soumission-a-l-autorite-hofling.html

menées ont montré qu'il n'en est rien. Ces personnes témoins du meurtre auraient pu être vous ou moi. Les comportements d'assistance ou de non-assistance à personne en danger relèvent du contexte et non pas de la personnalité. Quand un sujet se croit être seul à être susceptible de porter secours, il intervient rapidement et dans la quasi-totalité des cas. En revanche, dès qu'il sait que d'autres peuvent intervenir, il agit moins rapidement et moins fréquemment. Plus le groupe est important, moins l'individu se sent concerné.

C'est pour cette même cause de dilution de la responsabilité que des viols ont pu être commis dans le RER sans que personne ne bouge. Nous pouvons penser que nous serions intervenu. La réalité est que nous ne savons pas ce que nous aurions fait. Il ne s'agit pas tant de sauver une personne que de rompre une loi sociale. Jetez un œil sur la vidéo[1] de l'expérience de psychologie sociale de Latane et Darley (1970) pour vous en convaincre. Les sujets croient participer à une recherche sur la vie universitaire. Dans la première situation expérimentale on dit au sujet : « Vous êtes deux dans deux cabines séparées pour respecter l'anonymat. Lorsque la lumière s'allumera vous expliquerez les problèmes personnels rencontrés lors de votre année universitaire. Vous entendrez l'autre personne, mais je n'écouterai pas vos témoignages. » En réalité, il n'y a pas d'autre cabine. Le sujet entend un homme qu'il croit être dans l'autre cabine signaler qu'il fait régulièrement des crises d'épilepsie. Un peu plus tard, il se met à suffoquer et à crier « Est-ce que quelqu'un pourrait m'aider à sortir ? Vite, il y a quelque chose qui m'arrive... » Lorsque la personne se sait seule à entendre cette supplique, 100 % des sujets interviennent au bout de 52 secondes. Dans une deuxième condition

---

1. http://www.psychologie-sociale.com/index.php?option=com_content&task=view&id=229&Itemid=88

expérimentale, on dit au sujet qu'ils sont trois, dans trois cabines séparées. Le sujet pense donc qu'une autre personne est susceptible d'intervenir. Le taux d'intervention baisse à 85 % et au bout de 93 secondes. Dans une troisième condition expérimentale les sujets croient être six dans six cabines séparées, et donc que quatre autres personnes peuvent agir, 62 % seulement d'entre eux agissent et au bout de 166 secondes en moyenne.

Plus nous sommes nombreux, plus il y a de risques que nous nous comportions en témoins passifs. Plus nous aurons été éduqués à l'obéissance plutôt qu'à la conscience, plus nous serons exposés à ces mécanismes psychosociaux. Nous avons à être attentifs et à ne pas croire que seuls les autres peuvent être aussi insensibles. L'insensibilité n'est pas liée à la personne, mais à la situation.

Les situations sociales nous façonnent

Les situations sociales nous façonnent. Une expérience menée par le Pr Zimbardo, à l'université de Stanford en Californie, l'a montré avec une effarante maestria[1]. Pendant deux semaines, les étudiants allaient jouer les rôles de prisonnier ou de gardien dans une prison. Après avoir passé des tests psychologiques pour attester de leur normalité, ils ont tiré au sort leur rôle. Quelques jours plus tard, la situation a dégénéré.

Les étudiants dans le rôle de gardiens non seulement faisaient preuve d'autorité, mais en vinrent à commettre des brutalités et même des actes sadiques sur leurs prisonniers. Les étudiants-prisonniers, après de petites rébellions vite matées par les punitions des gardiens, se soumirent à toutes

---

1. http://www.youtube.com/watch?v=Z0jYx8nwjFQ

les règles, non sans traverser de terribles crises d'angoisse. L'expérience prévue pour durer deux semaines dut être interrompue au bout de six jours. Les étudiants avaient beau savoir qu'ils jouaient des rôles qui leur avaient été attribués par un tirage à pile ou face, ils étaient entrés dans la peau des personnages au point que leur équilibre psychique en a été profondément perturbé.

L'expérience a été menée un grand nombre de fois avec des groupes d'étudiants et d'adultes. Les gens savent qu'ils vont jouer des rôles. Le plus souvent, ils se connaissent déjà, parfois depuis longtemps. Et pourtant ils s'identifient aux rôles avec une hallucinante facilité. Les interviews menés après l'expérience étaient édifiants. Les participants étaient très choqués de voir comment ils avaient été amenés à se soumettre avec une telle facilité ou à agir si cruellement. « Je pensais que j'aurais été incapable d'avoir un tel comportement. J'ai été surpris de découvrir comment sur le moment, je ne sentais ni regret ni culpabilité. C'est seulement après, en revoyant l'expérience, que je me suis senti terriblement coupable. »

[Les gens ne sont pas méchants ou violents parce qu'ils sont mauvais intrinsèquement, la pression groupale, la dynamique relationnelle et systémique dans laquelle ils sont placés, guident leur attitude. Ces expériences de Philip G. Zimbardo sont fondamentales parce qu'elles montrent sans qu'aucun doute ne soit possible que n'importe qui, même psychologiquement équilibré, peut dans certaines circonstances être mené à avoir des comportements qu'il réprouverait s'il était en pleine possession de ses capacités de sentir et de penser.]

Une autre expérience édifiante et traumatisante a été élaborée en 1968 aux États-Unis. Une institutrice, Jane Elliott, imagine un jeu de rôle pour expliquer à des enfants ce que signifie d'être victime de racisme. Elle divise sa

classe en deux groupes : d'un côté les enfants aux yeux
marron. De l'autre, les enfants aux yeux bleus. Aux premiers, elle explique qu'ils sont supérieurs et leur décon-
seille de fréquenter désormais les seconds. Les enfants se
connaissent, ils sont dans la même classe depuis plusieurs
mois. Mais très vite, les groupes se radicalisent. L'institutrice valorise, encourage les enfants aux yeux marron. Leurs
résultats scolaires progressent. Aux yeux bleus, elle inflige
toute une série de vexations. Temps de récréation raccourci,
privation de collation. Elle les apostrophe sans ménagement
à la moindre occasion. Sarcasmes, railleries, elle souligne
leur indignité. Sur les films, on voit les sourires du début
– c'est un jeu, on fait un exercice – faire rapidement place à
la souffrance et aux larmes, le tout sous une indifférence des
privilégiés qui interpelle. À la moitié du jeu, coup de
théâtre : l'institutrice déclare les avoir induits en erreur. Ce
sont maintenant les yeux de couleur bleue qui sont gage de
supériorité intellectuelle, et les rôles de s'inverser aussi vite
qu'ils se sont imposés dans la première phase. L'expérience
est filmée et suivie d'un temps de debriefing et d'analyse
tous ensemble. La docilité des victimes comme des privilégiés est stupéfiante. Comment ne se rebellent-ils pas ?
L'expérience a été reproduite et filmée en université et en
formation d'adultes de nombreuses fois. Les films sont si
édifiants qu'il est évident que chacun est amené à se poser
la question de sa propre attitude s'il était placé dans les
mêmes circonstances. Nous répugnons à le croire. Mais les
expériences montrent avec une terrifiante efficacité et régularité que nous avons fort peu de liberté face à la pression de
la situation.

Nous sommes qui nous sommes et nous nous
comportons comme nous nous comportons davantage pour
des raisons situationnelles et contextuelles que liées à notre
« personnalité ». C'est vrai pour nous et pour les autres.

Nous voyons combien le jugement « untel est comme ci, unetelle est comme cela » est non seulement dangereux, mais forcément erroné.

L'influence sociale

Pas facile de se fondre dans le groupe et de rester soi. Sur TF1, une expérience a été réalisée et filmée pour l'émission *Ciel mon mardi*. Lors d'un cocktail, l'animateur présente à la presse un nouveau parfum nommé *Regine's*. Les commentaires positifs pleuvent : « Très original, ça sort de l'ordinaire... » Effectivement, ça sort de l'ordinaire. Il s'agit en réalité d'un savant mélange d'eau de javel, de thym et de verveine. Mais pas un seul des journalistes présents n'ose dire la vérité : c'est infect ! Hypocrisie ? Non, c'est un phénomène d'influence sociale.

J'ai déjà relaté dans mon livre *L'alchimie du bonheur*[1] l'expérience de Solomon Asch. Mais elle est si forte, que je ne résiste pas à vous la conter de nouveau. Déjà en deuxième année de psycho, elle m'avait marquée. Je pense que cette expérience est, avec celle de Stanley Milgram sur la soumission à l'autorité, un pilier de ma pensée et de ma manière de décoder le monde. En 1956, Solomon Asch a mené une expérience marquante dans l'histoire de la psychologie sociale[2]. Dans le cadre de ce qu'il annonce comme étant un test de perception visuelle, il demande à

---

[1]. Réédité sous le titre *Utiliser le stress pour réussir sa vie*, Éditions Dervy poche.
[2]. Même si vous ne comprenez pas l'anglais, vous pouvez visionner la vidéo de l'expérience : http://www.youtube.com/watch?v=R6LH10-3H8k. Une autre expérience particulièrement illustrative :
http://www.youtube.com/watch?v=WPfMpatUQIA&NR=1

un petit groupe de huit individus de comparer un segment de droite à trois autres, parmi lesquels un seul a la même longueur que le segment témoin. La tâche est d'une simplicité enfantine et devrait se solder par une performance avoisinant les 100 % pour tous les sujets. Chacun d'entre eux répond à tour de rôle et à haute voix. Mais le groupe est composé de sept compères et d'un sujet « naïf », le véritable sujet de l'expérience, placé en avant-dernière position. Au début, les compères donnent la bonne réponse. Puis ils se mettent à donner des réponses erronées de manière unanime et consistante. Les résultats sont édifiants, 33 % des sujets naïfs donnent une réponse conforme à celle des compères ! Comment comprendre ce conformisme ? Les interviews menées après l'expérience auprès des sujets montrent deux profils : certains savent qu'ils ont raison, mais se conforment à l'avis du groupe pour ne pas affronter la désapprobation du groupe, ne pas risquer d'être rejeté. Les autres pensent que le groupe a raison ! Ils vont jusqu'à douter de leurs perceptions ! Comme les compères sont unanimes à chaque fois, le sujet a tendance à croire que c'est lui qui se trompe. C'est ainsi que le groupe a souvent raison contre l'individu et que ce dernier a tendance à perdre le contact avec ses propres pensées, émotions, sentiments et même perceptions dès qu'il est parmi d'autres. Nous ne mesurons pas à quel point l'influence sociale joue sur notre réalité. Elle modifie jusqu'à nos perceptions. Nous avons besoin d'une sacrée formation à la réflexion personnelle, à l'insoumission, à la désobéissance, pour être capable de conserver nos compé-tences perceptives, donc notre manière unique de percevoir et d'approcher le monde. Six personnes avant vous suffi-sent...

Vous pensez que vos comportements sont libres ? Vous pouvez visionner sur YouTube une très jolie expérience de conformité dans un ascenseur[1]. Vous y découvrirez comment nous uniformisons nos comportements, comment nous nous conformons tout à fait automatiquement aux propositions de notre entourage. Je vous laisse découvrir la vidéo sans la dévoiler davantage. Si vous n'avez pas accès à Internet, vous avez sûrement un ami, un voisin, une connaissance, qui aura plaisir à vous la montrer...

Et quand vous êtes dans un grand groupe, dans une foule, que se passe-t-il ?

Foules et groupes

Une intellectuelle me racontait combien elle avait été stupéfaite et effarée de se retrouver en 1934 à lever le bras pour le salut hitlérien lors d'un discours du dictateur. Elle était pourtant politiquement engagée, fort intelligente et consciente, et farouchement opposée aux idées fascistes. Elle n'était venue qu'entraînée par une copine pour voir ce qui se passait. Elle a vu. Ce geste que son corps a accompli hors de sa direction consciente lui a montré combien les mouvements de foule avaient du pouvoir. Dès lors que l'homme est en groupe, il est capable des pires folies. L'Histoire l'a montré maintes et maintes fois.

Nous le constatons aussi dans notre quotidien. Des enfants, pris individuellement, peuvent être tout à fait adorables. Dès qu'ils sont en groupe, ils deviennent intenables. Les lycéens les plus doux vont insulter un professeur s'ils se trouvent dans une manifestation de groupe. Dès qu'une personne se joint à un groupe, et d'autant plus que ce dernier est émotionnel, elle devient capable d'excès de violence ou de panique, d'enthousiasme ou de cruauté. Deux chercheurs de

---

1. http://www.youtube.com/watch?v=WPfMpatUQIA&NR

l'Université du Dakota, Brian Meier et Verlin Hinsz, ont réuni des étudiants en leur faisant croire qu'ils allaient participer à une étude gustative pour le compte d'une grande entreprise agro-alimentaire. Les étudiants, répartis dans des salles, individuellement, ou en groupes de trois, goûtaient des sauces, puis devaient remplir une coupe de sauce ultra piquante qui devait être mangée par un autre étudiant dans une salle séparée. L'étude montre que les étudiants ayant rempli la coupe dans la situation de solitude déposent en moyenne 1,7 g de sauce pimentée, alors que les étudiants en groupes y placent, en moyenne, 32 grammes ! Ce, sans se concerter. Comme si la seule présence des deux autres avec eux leur donnait toute latitude pour faire souffrir l'étudiant goûteur. C'étaient des étudiants comme les autres. Mais, réunis par groupes de trois, chacun se sent moins responsable de la souffrance infligée à autrui. Le changement de comportement au sein des groupes est inconscient [1]. Il est interpellant. Ce n'est pas notre personnalité qui joue, mais la situation sociale dans laquelle nous nous trouvons.

Dans notre vie quotidienne, nous en voyons des applications. Si vous avez du mal à maintenir vos convictions en présence d'autrui, si votre avis semble fluctuant au gré de vos rencontres, si vous vous sentez entraîné à ressentir, penser, croire, sachez que vous n'êtes pas le seul. Certains sont plus dépendants que d'autres, ils se fondent littéralement dans l'autre ou dans le groupe. Pour garder leur sentiment d'exister, ils peuvent préférer vivre en solitaire.

Pour réussir à lutter contre l'influence sociale, nous avons à forcer sur l'individuation. Quand vous êtes dans une foule, dans un groupe, ou même dans une réunion de travail, pensez à bouger, à changer de posture. Si votre posture est trop similaire à celle des personnes qui vous entourent, il est

---

1. Psychologie des groupes, revue *Cerveau et Psycho*, n° 7.

vraisemblable que vos idées, vos sentiments, vos impressions à cet instant T ne sont pas seulement les vôtres. Modifiez votre posture, respirez jusque dans votre bassin, allez aux toilettes... pour redevenir vous-même. On vous pose une question ? On vous demande de voter ? Levez-vous, écartez les bras, faites quelque chose d'étrange, n'importe quoi, pour vous désynchroniser et avoir accès à ce que vous, vous pensez.

Si vous êtes entré dans la réunion, dans le groupe, avec un projet, vous serez bien moins vulnérable à la pression sociale. Ayant votre objectif clair en tête, vous serez moins tenté de jouer la fibre de l'affiliation et aurez davantage de chances d'être fidèle à ce que vous vous étiez programmé.

Et souvenez-vous de désobéir !

Même si les lois sociales sont là, certains trouvent tout de même en eux des ressources pour désobéir à la loi du groupe, pour résister à l'autorité. Plus vous aurez été encouragé, enfant, à penser et ressentir par vous-même, moins vous serez sensible à l'influence groupale ou à l'influence sociale. Si vous n'avez pas eu le droit de ressentir, de penser, par vous-même, vous êtes particulièrement exposé. Toute éducation à l'obéissance est dangereuse. Nous aurions dû le comprendre au sortir de la dernière guerre.

Alors que nous étions encore à Saint-Maur-des-Fossés, ma fille est revenue de l'école maternelle publique du quartier avec ces mots : « La maîtresse m'a dit que j'étais très obéissante ! » J'étais atterrée. Nous étions en octobre 1987, la radio, la télévision ne parlaient que du procès Papon. Maurice Papon, fonctionnaire du régime de Vichy, était cité devant la cour d'Assises pour crimes contre l'humanité. Il se disait innocent, certifiant n'avoir fait qu'obéir aux ordres. Il n'était pas responsable des déportations qu'il avait organisées, il n'avait été qu'obéissant. Cette fuite de ses responsabilités effarait le public et blessait les descendants des victimes. Nous étions à peine guéris d'une guerre qui avait été permise par l'obéissance de millions de personnes, nous approchions du XXIᵉ siècle et quelqu'un était fier que ma fille soit obéissante ? Je me suis assise près d'elle et je lui ai dit : « Je ne veux pas que tu sois obéissante, Margot, je veux que tu fasses les choses parce qu'elles ont un sens et jamais par obéissance. Je veux que tu observes les conséquences de tes actes et que tu prennes la responsabilité de tes actions. Je préfère que tu sois responsable plutôt qu'obéissante. »

Ma fille m'a regardée. Je ne lui ai pas dit à cette époque qu'elle avait une maman vivante grâce à la désobéissance d'une infirmière. Pourtant, ce ne devait pas être totalement étranger à ma réactivité. Elle m'a dit : « La maîtresse donne des bonbons si on range la classe. Je ne vois pas à quoi ça sert. Il y a des enfants qui rangent la classe pour avoir un bonbon. C'est bizarre. On range parce qu'on a fini un travail, pour que quelqu'un d'autre puisse le trouver, pas pour avoir un bonbon [1]. »

---

1. Margot avait déjà deux ans de maternelle derrière elle dans une école Montessori. Elle y avait appris à ranger parce que c'était utile.

Sommes-nous celui que nous croyons être ? Oui, peut-être. Et nous pouvons aussi avoir des comportements « qui ne nous ressemblent pas » dans certaines circonstances. Parfois, nous pouvons supposer que c'est alors notre « réalité » qui apparaît, car une croyance communément admise dit que l'on se révèle dans les situations difficiles. En réalité, la psychologie sociale nous montre que les ressorts psychosociaux sont souvent plus puissants que les ressorts intrapsychiques. **Le contexte, la situation, peuvent être plus déterminants sur nos comportements que nos pensées, nos valeurs, notre personnalité.** Les expériences de psychologie sociale nous prouvent que personne n'est ni bon ni mauvais intrinsèquement, et que les phénomènes sociaux nous dirigent bien plus que nous n'osons l'imaginer. Il est plus facile de condamner une personne, que de remettre en cause le système dans lequel elle a été placée. Pourtant, les expériences de psychologie sociale montrent que, mis dans les mêmes conditions, malgré nos convictions, « Moi, j'aurais fait autrement », la probabilité est grande que nous nous comportions comme nous le réprouvons. Le contexte nous dirige plus que nous ne le pensons. La constatation est terrifiante dans ses implications, elle a aussi des avantages. Si nous ne sommes pas celui que nous aimerions être, peut-être est-ce lié au contexte ?

8.

Développer ses compétences sociales pour reprendre son propre pouvoir

Les humains sont décidément des animaux sociaux. Certains en déduisent que les compétences sociales, supposées « naturelles », ne s'apprennent pas. Ceux-là oublient que si le chant des oiseaux est naturel et inné, chaque oisillon l'apprend tout de même et chante avec l'accent de sa région. De plus, si nous étions élevés de manière naturelle, on pourrait peut-être attendre que nos compétences sociales se développent naturellement, mais l'éducation d'un petit d'homme d'aujourd'hui n'a rien de naturel. Si instinct il y a, il a été perturbé par l'environnement.

Les facteurs permettant de développer une bonne aisance sociale sont nombreux. Ils ont développé ces compétences par nécessité, par imitation, parce qu'ils ont eu un espace pour le faire.

Certains sont à l'aise dans les rencontres à deux, d'autres préfèrent les petits groupes. D'autres encore ne s'épanouissent qu'avec de très grands groupes. Certains préfèrent les situations cadrées, ritualisées, d'autres ne supportent pas les rituels et adorent les ambiances informelles. Être à l'aise avec des personnes de tous milieux et de tous styles permet de prendre sa place dans la vie et dans la société. Au-delà des compétences professionnelles, ce qui fait le succès dans un métier, c'est l'aisance relationnelle. Dans le couple, dans la famille, aussi. Pour être heureux, mieux vaut être entouré. Et pour être et rester entouré, mieux vaut avoir quelques compétences sociales qu'être timide et réservé.

Le CNAM, Conservatoire national des arts et métiers [1], permet à qui le désire de poursuivre des études en cours du soir. On y forme des ingénieurs, des doctorants. Les enseignants de cette institution ont pris conscience d'un frein important au succès des élèves. Ces adultes, ultra motivés qui avaient passé sur les bancs du CNAM tant de soirées pendant des années, avaient d'excellents résultats à l'écrit, mais échouaient à l'oral. Ils étaient stressés, perdaient leurs moyens devant le jury ou en public. Ils avaient acquis d'indéniables compétences scientifiques et techniques mais ne savaient pas s'exprimer. D'où l'idée de créer un département d'expression orale. J'y ai commencé ma carrière, il y a bientôt trente ans. J'ai animé pendant deux ans un module « gestion de l'émotivité » pour aider ces adultes à être plus à l'aise avec eux-mêmes et avec les autres et à présenter leurs examens et concours avec succès.

Certains sont démunis de manière générale dans leur vie. Pour d'autres, seules quelques situations leur échappent : argumenter lors d'une réunion, l'animer, parler en public, exprimer des besoins ou tenir compte de ceux de l'autre, organiser des activités ensemble, mener un groupe,

---

1. Le Conservatoire national des arts et métiers (CNAM) est un grand établissement public dédié à la formation tout au long de la vie depuis sa fondation par Henri Grégoire en 1794. Il remplit trois missions : la formation professionnelle des adultes, la recherche technologique et l'innovation, la diffusion de la culture scientifique et technique. www.cnam.fr

entrer dans un groupe constitué, être tout simplement à l'aise dans une soirée. Qui a appris à se faire des amis ? à décoder les jugements des autres ? à parler en public, animer une réunion, travailler en équipe, exprimer une colère, faire un compliment, mener un entretien...

Les compétences sociales se développent, comme toute compétence. Le CNAM l'a compris, comme l'ensemble de la formation professionnelle continue. L'Éducation nationale ne l'a pas encore accepté. Pourtant chacun d'entre nous aurait bénéficié à apprendre à l'école à s'affirmer, se faire des amis, dire non, dépasser une peur, remercier, garder un secret, dire une colère sans violence, résoudre un conflit, parler en public. Et ce, dès la maternelle, laquelle est réputée « socialiser » les enfants. L'ambiance des collèges et des lycées en serait transformée. Comme c'est le cas dans les trop rares écoles et collèges qui ont mis en place des programmes de développement affectif et social.

Bien que le programme officiel de maternelle, jusqu'il y a peu [1], prévoyait d'« apprendre à mettre des mots sur ses émotions », force est de constater que les enseignants n'ayant reçu aucune formation sur la question passaient sur cet aspect du programme sans plus de formalités. Et au CP, si on se plaint que les enfants n'ont pas été préparés à apprendre à lire, il est rare que l'on fasse des cours de rattrapage de grammaire émotionnelle ou d'intelligence relationnelle.

Hélas, le programme de 2008 [2] remet l'obéissance à la place de l'intelligence. Petits extraits :

---

1. J'invite les lecteurs à comparer les programmes sur le site du ministère. *BO* n° 5, 12 avril 2007 : ftp://trf.education.gouv.fr/pub/edutel/bo/2007/hs5/hs5_maternelle.pdf http://www.education.gouv.fr/bo/2002/hs1/maternelle.htm
2. http://www.education.gouv.fr/bo/2008/hs3/programme_maternelle.htm

Au chapitre Vivre ensemble :

Les échanges doivent être l'occasion, pour les enfants, de mettre en œuvre les règles communes de civilité et de politesse, telles que le fait de saluer son maître au début et à la fin de la journée, de répondre aux questions posées, de remercier la personne qui apporte une aide ou de ne pas couper la parole à celui qui s'exprime. Une attention particulière sera apportée aux fondements moraux de ces règles de comportement, tels que le respect de la personne et des biens d'autrui, de l'obligation de se conformer aux règles dictées par les adultes ou encore le respect de la parole donnée par l'enfant.

Ce programme de 2008 est sensiblement différent de celui qu'il a remplacé, lequel, s'il n'était pas encore appliqué partout, faute de formation des maîtres, avait tout de même le mérite d'exister :

(...) C'est dans cet univers nouveau et contraignant que chaque enfant doit apprendre à éprouver sa liberté d'agir et à construire des relations nouvelles avec ses camarades comme avec les adultes. (...) En trouvant la distance qu'il convient d'établir dans ses relations à autrui, il se fait reconnaître comme sujet et construit progressivement sa personnalité. On doit aider l'enfant à identifier et comparer les attitudes adaptées aux activités scolaires, aux déplacements et aux situations collectives, au jeu avec quelques camarades ou pratiqué individuellement. Il faut le conduire à prendre conscience des repères sur lesquels il peut s'appuyer et des règles à respecter dans chaque cas, mais aussi des façons d'agir et de s'exprimer qui lui permettront de mieux vivre ces diverses situations.

En 2007, le programme prévoyait que l'enfant apprenne à respecter tous les autres et non pas seulement le professeur. Dans les programmes de 2008, l'accent est clairement mis sur les règles et la contrainte. Un retour en arrière qui fait fi des études scientifiques et va faire augmenter la violence à l'école ce qui permettra de renforcer les mesures de sécurité. Les enfants de maternelle ne peuvent encore défiler dans la rue comme les lycéens. La mesure est passée quasi silencieusement. Au lieu de former des citoyens responsables et de s'acheminer vers une véritable démocratie, nous retournons vers l'éducation de contribuables obéissants dans une parodie de démocratie.

Dans la classe, les règles sont à peu près claires, mais dès qu'on en sort... C'est la jungle. Lors de leurs premières récréations, nombre de petits restent tout simplement figés quand ils se retrouvent dans la cour, stupéfaits par les comportements des autres. On pourrait attendre des adultes qu'ils prennent en compte le problème auquel ces enfants font face en organisant dès la rentrée en classe des groupes de parole autour de : « Un jour, j'ai été dans un endroit nouveau... Un jour, je me suis fait un ami... Un jour, je me suis senti tout seul... Qu'est-ce que je sens dans mon cœur quand... Qu'est-ce que je me dis dans ma tête... J'ai peur de... J'ai envie de... » Des moments en groupe qui permettent aux enfants d'apprendre à mettre des mots sur leurs émotions, de prendre conscience de ce que vivent et se disent les autres dans leur tête. Des groupes pour élaborer ensemble leur vécu, avec leurs mots à eux. L'adulte est en charge d'organiser un cadre susceptible de fournir aux enfants les outils nécessaires pour maîtriser les situations sociales en leur donnant du sens, en écoutant ce que les autres enfants ont dans leur tête et dans leur cœur. Au lieu de cela, la réaction la plus commune des adultes consiste à juger l'enfant « il est timide », à banaliser « ça arrive au début, ça va s'arranger », à moins qu'ils ne dramatisent et ne l'envoient chez le psy.

Apprendre à vivre ensemble ne se résume pas à « dire bonjour au professeur, écouter le professeur, respecter les règles de la classe ». Sinon, on est à l'aise quand la situation est bien cadrée, et fort désarmé lorsque les règles ne sont pas aussi explicites.

Si la Formation professionnelle continue a compris ces besoins et propose de multiples stages, l'Éducation nationale refuse ces apprentissages au motif qu'ils répondraient aux besoins des entreprises. Bien au contraire, les stages de développement de compétences sociales construisent des individus autonomes, capables de dire non. La formation les aide à sortir de la soumission, de la passivité, de l'obéissance. Mais c'est un autre projet de société. Cela risquerait d'entraîner une véritable démocratie.

La plupart d'entre nous, nous l'avons vu, avons appris à nous soumettre à l'autorité. D'autant que si l'école française s'est construite sur cette conception de Jules Ferry : « La famille, c'est la superstition. L'école, c'est la raison, il faut séparer l'enfant de ses parents pour en faire un bon citoyen », sur le plan de l'autorité, l'école et les parents se sont plutôt confortés. Jules Ferry avait mis en garde les enseignants : ne jamais aller contre l'autorité du chef de famille.

Entre les injonctions parentales « Tu fais ce que je te dis », « Dis bonjour à la dame » et les contraintes de l'école « Taisez-vous, écoutez », nous avons une solide formation à la passivité. Nous avons appris à ne parler que lorsqu'on nous donne la parole, nous avons appris à lever le doigt. Notre entraînement est tel que dans mes groupes de formation d'adultes, il n'est pas rare qu'une personne lève le doigt pour me demander à aller faire pipi ou vienne me voir au moment de la pause pour me confier tout bas qu'elle devra partir un quart d'heure avant la fin de la journée de stage. Et le pire est que cela paraît normal à presque tout le monde !

Peu d'entre nous ont intégré qu'uriner est un besoin physiologique élémentaire et que par conséquent nous avons le droit de faire pipi quand nous le désirons. Et s'il est naturel d'informer le groupe, demander la permission donne bien trop de pouvoir à l'animateur ! Peu d'entre nous ont conscience que tout le groupe a besoin d'être informé de la sortie prématurée d'un de ses membres et que l'animateur n'est que l'animateur et non un parent.

Si, à trente, quarante, cinquante voire soixante ans, nous n'avons pas même la liberté d'aller aux toilettes sans en référer à l'autorité, comment pouvons-nous espérer avoir la liberté d'évoluer naturellement parmi les autres ?

Se mettre en projet, en position JE

On vous propose une soirée : « Je ne connais personne » est-il un argument pour ne pas y aller au lieu de constituer une motivation : « Chouette, de nouvelles personnes à rencontrer » ?

L'apprentissage de la soumission et de la position d'objet nous incite à nous poser des questions plus inhibantes que sources d'élan. Dans une situation x, on se demande « Que dois-je faire ? » au lieu d'écouter à l'intérieur de soi : « Qu'est-ce que j'ai envie de faire ». En imaginant que je « dois » faire quelque chose, je me mets en situation de soumission à un devoir, fixé par qui ? Les soirées informelles surtout sont la terreur des phobiques sociaux. Comme évidemment, dans une soirée informelle, il n'y a rien à faire de spécial, le phobique « ne sait pas quoi faire », et se sent mal à l'idée qu'il devrait savoir quoi faire.

Une interaction consciente nécessite de sentir notre désir d'entrer en contact et de vérifier la disponibilité d'autrui pour une rencontre. Cela implique que nous soyons libres de désirer, de sentir nos envies et besoins plutôt que nos peurs. Et qu'au lieu du « respect/crainte » appris à l'école, nous choisissions le « respect/rencontre ».

Tout d'abord, il s'agit de sortir de la position d'objet. Pour être sujet, il nous faut un projet personnel. Au-delà de ce qui nous est proposé, que voulons-nous ? Avant d'entrer en contact avec autrui, nous avons à entrer en contact avec nous-mêmes. Quel est le projet ? Avoir un projet nous sort de la dépendance à la situation. Ce peut être parler avec trois personnes, entrer en relation avec tous les individus aux yeux bleus, trouver deux personnes à qui raconter nos vacances ou avec qui discuter des derniers événements de politique internationale. Le plus important est d'avoir un projet, quel qu'il soit. Aucun n'est futile. Le projet oriente et nous aide à savoir où aller et vers où nous tourner. Il nous sort de la passivité, donc diminue la peur. Les personnes qui se laissent porter par les autres et par la vie ne sont pas heureuses. Elles sont forcément dépendantes de leur environnement et donc sous stress. C'est physiologique. Dès que vous êtes en position de dépendance, votre cœur accélère légèrement, votre corps se met en tension. Vous prenez la physiologie d'un dominé.

Pour sortir de la peur du jugement, du sentiment d'inadéquation ou d'impuissance, il est utile de faire un projet. Les peurs sont inhérentes au fait de se sentir objet. La clé est donc de passer « sujet ». Et pour cela, il suffit d'avoir un projet. Si vous avez un but, vous vous mettez au service de votre projet et non plus des autres.

Lors de mon mariage, cette année, nous avons invité environ 150 personnes. Je fêtais aussi mes cinquante ans. J'avais eu envie de réunir autour de moi des gens de toutes les époques de ma vie, et de tous les réseaux, peu se connaissaient. Nous avons distribué de petites cartes photos de *crop circles*[1] coupées en trois. Quand un invité arrivait, il tirait un morceau de carte et avait pour mission de retrouver les deux morceaux manquants. Chaque personne avait donc un projet et pouvait aborder facilement toute autre personne. C'est une variante de « Êtes-vous allé en Éthiopie ? ». Ce jeu a permis de nombreuses rencontres.

On peut ainsi recourir à toutes sortes de jeux, de règles, de prescriptions pour aider les invités d'une fête à se rencontrer. Dans une école anglaise, les petits nouveaux ont pour mission de réaliser dans la première semaine trois interviews d'élèves avec une série de questions. Sans cette mission, les nouveaux auraient davantage de difficultés à oser entrer en contact avec les autres. Depuis que cette stratégie somme toute très simple a été mise en place, la direction de l'école a pu observer une bien meilleure intégration des nouveaux élèves.

Nous avons besoin de permissions pour entrer dans un groupe constitué. Ces directions données par les propositions de jeu, de consignes, donnent cette permission. Et comment faire pour les trouver en soi ? Vous êtes libre de vous préparer un projet personnel. Avoir un objectif en tête aide, nous l'avons vu, à résister à l'influence sociale, cela permet aussi de se sentir au contrôle de sa propre vie, nous avons une direction pour guider nos pas, une ligne qui nous ramène à la conscience de nous-mêmes et de notre place parmi les autres. Nous sommes libres de nous forger notre projet personnel. Si nous ne le faisons pas, nous sommes fatalement des objets dans les projets des autres. Avoir un projet permet d'être actif.

---

1. *Crop circles* ou Cercles de culture : des dessins fabuleusement complexes et beaux qui apparaissent « spontanément » dans les champs.

Entrer en contact

L'intelligence sociale consiste à prendre conscience de nos émotions et besoins, à identifier les sentiments des autres et à saisir les enjeux des situations. Pour cela, il nous faut prendre un peu de hauteur. Considérer la situation dans sa globalité mais toujours en fonction d'un objectif spécifique. Connaître ses besoins, c'est toute une affaire. Commençons par cette simple question : ça me fait oui ou ça me fait non ?

Utiliser cette simple question dans toute situation sociale est très aidant.

Claire entre dans la pièce. Une fois qu'elle a salué l'hôte qui l'accueillait sur le pas de la porte, elle prend le temps de repérer la configuration des lieux. Un groupe discute de manière animée sur sa droite. Le buffet est au fond. Quelques personnes discutent par tout petits groupes. Sur un canapé, à gauche, un autre groupe. Précontact, Claire prend le temps de sentir. « Qu'est-ce qui me fait OUI ? » L'énergie du groupe de droite séduit Claire. Elle regarde le groupe et s'approche. Le signal a été perçu par Xavier, qui s'écarte de quelques centimètres en la regardant. C'est le signe que Claire attendait, elle peut avancer. Le signal de Xavier a été perçu par le reste du groupe qui s'écarte pour laisser entrer Claire.

Océane, ce soir, préfère se diriger vers les personnes isolées, plus faciles d'accès. Elle établit un contact visuel et dès qu'un sourire lui répond, elle se dirige vers la personne. Ce soir, elle a envie de conversations tranquilles.

François laisse glisser son regard sur les gens, il baisse les yeux et se dirige vers le fauteuil disponible à gauche du buffet. Il n'a pas confiance en lui. Souvent, il se sent de trop, il est convaincu que les autres n'auraient guère d'intérêt à le rencontrer. Il n'ose pas toujours laisser ses yeux se poser même sur un regard dirigé vers lui. À vrai dire, il lui arrive même de baisser les yeux : « Elle me regarde, au secours ! » Évidemment, cette attitude ne l'aide pas à se faire des amis.

En restant un peu dans les yeux de l'autre, vous prenez le temps de mesurer sa disponibilité. Il va peut-être sourire le premier, il est donc disposé au contact. Gare aux interprétations hâtives, qu'il ne sourie pas ne signifie pas qu'il n'y soit pas disposé, il peut tout simplement être lui aussi timide. Certains vont même baisser les yeux... Non pas parce qu'ils ne désirent pas le contact, mais parce que leurs parents leur ont expliqué qu'il fallait baisser les yeux... Eh oui, les autres aussi ont des difficultés.

Vous pouvez partir du postulat que tout le monde dans une soirée conviviale vient pour être en contact et donc le désire, même s'il ne le manifeste pas ouvertement.

Après quelques secondes de contact oculaire, vous souriez. Il ne faudra le plus souvent que quelques secondes pour que votre « cible » sourie à son tour. Il se peut bien sûr, que, terrifiée par votre regard, elle baisse les yeux et fonce vers le buffet. À vous de voir : ce peut être réellement un refus, ce peut être de la timidité. Ce mot recouvrant tout à la fois peur et incertitude sur la conduite à tenir. Prenez donc les choses en main assez vite sans hésiter à faire le premier pas. Non sans avoir toutefois attendu pour ce premier pas que l'autre vous ait au moins regardé et au mieux souri. Vous souriez, l'autre sourit. Il a répondu, cela signifie que vous pouvez faire un pas vers lui.

En avançant, vous risquez de pénétrer sa bulle. Vous êtes attentif à ses mimiques et à son regard. Votre objectif est de le rassurer le plus rapidement possible. Pour cela, vous lui donnez des repères : vous énoncez votre nom et le motif de votre présence. « Je m'appelle Pierre, je suis le cousin de Joseph » ou « Je suis Lauriane et je travaille dans le service de Rachid. » N'oubliez pas de respirer, et centrez-vous sur votre interlocuteur pour identifier le moment où vous pouvez lui poser une question et l'inviter à parler à son tour. Certaines personnes ont besoin d'un peu de temps pour oser prononcer un mot. En donnant trop vite la parole à l'autre d'un encourageant : « Et vous ? » vous pouvez le bloquer. Quels que soient les mots d'introduction, souvenez-vous que l'autre vous voue une immense gratitude pour avoir brisé la glace.

Pénétrer un groupe constitué

« Ils se connaissent déjà, ils n'ont pas besoin de moi. » Si le groupe est fermé, cela signifie que ses membres manquent de sécurité. Si c'est un groupe solide, il s'ouvrira facilement. La première approche est visuelle. Si cela paraît évident pour la plupart des gens, cela ne l'est décidément pas pour tout le monde. Certains craignent d'être « voyeurs », beaucoup promènent leur regard superficiellement en n'osant pas le poser vraiment. Or pour entrer en contact, il s'agit d'émettre des signaux de demande de contact ! Et le regard en est un. Regarder attentivement est nécessaire par ailleurs pour repérer les signaux d'accueil. Un groupe ne s'ouvre pas immédiatement sur votre demande visuelle. Lorsqu'une personne du groupe prend conscience de votre présence et de votre attente, il lui faut recevoir l'assentiment du groupe pour vous accueillir. Sa vision périphérique vous intègre bien avant qu'elle ne puisse vous regarder dans les yeux pour signaler « approchez s'il vous plaît ». Si vous ne regardez pas assez longtemps le petit groupe, vous risquez de ne pas voir quand une des personnes du groupe commencera à réagir. La personne vous regarde, c'est le signal, vous pouvez vous approcher. Pas trop vite ! Vous vous arrêtez à portée d'oreille. Juste le temps d'obtenir l'autorisation d'entrer dans le cercle. Cette autorisation sera physique, le cercle s'ouvrira pour vous faire une place. Il est illusoire d'attendre qu'un cercle qui fonctionne s'ouvre spontanément sans que vous ayez à faire un geste. La plupart du temps, nous faisons tout ce qu'il y a à faire de manière automatique, nous l'avons appris par imitation. Mais certains ne l'ont jamais appris.

Une fois dans le cercle, l'écoute est première. Le temps de comprendre autour de quoi tourne la conversation, saisir les enjeux, prendre des repères. Si vous désirez vous faire rejeter, ou faire éclater le groupe, prenez la parole pour donner un avis contraire à celui du groupe.

Si votre objectif est d'être entendu, avant d'émettre votre opinion, tissez le contact. Pensez toujours en termes d'objectif. Vous devez d'abord rassurer le groupe, acquiescez, valorisez, écoutez mais pas trop silencieuse-ment. Votre silence risque d'insécuriser vos interlocuteurs.

Approuvez ce qui est dit. Même si vous êtes farouche-ment opposé à ce qui est dit, vous pouvez trouver un point d'accord. « C'est certain, vous avez raison, la violence doit cesser. » C'est comme vous accorder sur leur longueur d'onde. Si vous n'êtes pas accordé, ils ne pourront tout sim-plement pas vous écouter. Si vous l'êtes, ils pourront envi-sager votre point de vue, même s'il est très différent du leur. D'ailleurs, en positionnant votre démonstration depuis un point d'accord, vous ferez naturellement des ponts plus explicites entre son point de vue et le vôtre.

Et posez-vous souvent la question : Pour quoi parlez-vous ? Quel est votre véritable objectif ? Pour dire quelque chose, partager une information, vous sentir en lien ou pour projeter une image satisfaisante de votre personne ?

« Je n'ai pas trouvé de place pour parler, il n'y a pas eu de silence pour que je puisse prendre la parole » ne sont pas des excuses. Vous pouvez choisir de continuer à obéir aux messages parentaux : « Il ne faut pas interrompre », « il ne faut pas couper la parole ». Cependant, s'il est vrai que dans certaines circonstances, il est utile d'écouter une personne sans l'interrompre, dans une discussion animée, on se coupe la parole pour rebondir les uns sur les autres. On parle à bâtons rompus ! C'est naturel.

Sachez écouter sans interrompre lorsqu'une personne a besoin de se confier, d'être entendue ou a un problème qu'elle doit débrouiller et osez couper la parole pour rajouter votre grain de sel lorsqu'il s'agit d'une discussion plus légère. Comme au tennis, ou mieux, au volley, on ne laisse pas tomber la balle, le jeu c'est de la saisir au bond, avant qu'elle ne touche le sol. Loin d'être impoli, interposer quelques mots, saisir une perche pour rebondir sur le sujet, seront autant de façons de dire votre intérêt à la conversation, donc de dire aux autres « je suis bien avec vous, j'aime discuter avec vous, vous êtes intéressants ».

Écouter

« La parole est d'argent, le silence est d'or. » Pour autant que ce soit un vrai silence fait d'écoute de l'autre et d'empathie et non un silence qui recouvre un discours intérieur ponctué de jugements sur soi, sur l'autre, de doutes et de peurs : « Je ne sais pas quoi dire, je suis nul, qu'est-ce qu'il me raconte »... Ce silence-là, fait de craintes, de croyances négatives et de projections, n'est pas d'or mais de plomb. Il alourdit les relations. Le discours intérieur est souvent en circuit fermé, il est fait de commentaires sur la situation, d'émergences de souvenirs, d'anticipations allant de « que faire à dîner ce soir ? » à « comment il sera dans vingt ans, ce type, quand on sera mariés... » et de toutes sortes de pensées parasites : « zut, j'ai oublié le pain... » Tout cela nous occupe beaucoup et ne nous rend pas toujours disponibles à écouter vraiment ce que notre interlocuteur a à nous confier. Certaines personnes parlent juste pour ne pas être happées par ce dialogue intérieur avec elles-mêmes. Rester en silence tout en restant en contact avec l'autre n'est pas si simple.

Le silence, c'est aussi le vide, un espace trop libre qui risque de permettre à nos émotions d'émerger... La grande majorité des gens ont du mal avec le silence. Tant et si bien que les techniciens de la télévision mettent systématiquement un bruit de fond dans les silences pour ne pas angoisser les gens !

Écouter, c'est donner un espace de liberté à l'autre pour qu'il s'exprime. L'écoute ne consiste pas à « ne rien faire », c'est permettre à la personne écoutée de sortir de sa solitude. Quelqu'un l'écoute et la comprend. Vous l'aidez à mettre ses soucis à l'extérieur d'elle plutôt que de tourner les choses dans sa tête. Un des objectifs de l'écoute est de permettre à la personne de dire JE et donc de reprendre un sentiment de contrôle de sa vie, revendiquer ses émotions, sentiments, pensées comme lui appartenant... Souvent, lorsque nous sommes dans l'épreuve, nous nous sentons victime d'une situation, le simple fait de parler, d'occuper de l'espace de parole restaure la confiance en soi. Si en plus on est compris, accepté, reconnu, la confiance grimpe. En plus de tous ces avantages, écoutée, la personne parle et s'entend elle-même. Elle peut faire des liens qu'elle n'aurait pas faits sans en parler.

Donner des solutions, montrer que vous savez, renforce peut-être votre *ego*, mais cela n'aidera pas la personne. Prouver que votre point de vue est le meilleur n'est pas très utile, ni pour vous, ni pour l'autre. Mais écouter vraiment son point de vue, la manière dont il vit les choses, pour le comprendre de l'intérieur, lui permet de se sentir intelligent, écouté, respecté. Il sera ensuite davantage enclin à écouter le vôtre avec respect. Écouter est plus important que parler. Votre corps écoute, et donne les informations à l'autre. Le simple fait de vous montrer intéressé aide votre vis-à-vis à se sentir intéressant. Parfois il n'est pas suffisant d'écouter, notre interlocuteur attend des mots, un soutien, quelque chose sur quoi s'appuyer.

« Qu'est-ce que je peux dire ? Comment le rassurer ? Je ne sais pas quoi dire... » Vous ne savez pas que dire à une personne stressée, dans la douleur ou en deuil ? Il n'y a rien à dire. Seulement à accueillir dans votre regard et peut-être à toucher, délicatement, d'abord juste la main si vous la connaissez peu et/ou si elle craint le contact. Mais souvenez-vous qu'il ou elle a besoin d'ocytocine ! Lâchez les convenances et si il/elle vous le permet, et même si il/elle résiste un peu, entourez-le/la de vos bras, et surtout respirez ! Respirez poitrine contre poitrine. Cœur à cœur. C'est juste de cela dont nous avons tous besoin quand nous sommes dans la douleur. En serrant une personne contre son cœur, on déclenche la sécrétion d'ocytocine et on lui dit sans mots : « Je te reconnais, je sens ce que tu sens, tu appartiens au même groupe que moi. »

L'empathie

L'empathie est la capacité à se mettre à la place d'une autre personne sans toutefois perdre la conscience de soi pour comprendre ses sentiments. L'empathie est à la source des comportements moraux car elle nous permet de mesurer ce qui se passe pour autrui. Le développement de l'empathie pour favoriser les comportements moraux serait nettement plus pertinent et efficace que l'édiction de règles en termes de « il faut », « on doit ». La régulation de nos comportements et attitudes serait probablement différente si elle était opérée en fonction de la prise de conscience des conséquences pour autrui de nos gestes, et non en simple rapport à la loi ou du positionnement en termes de bien et de mal.

Jean Decety[1], neurobiologiste, évoque deux composants fondamentaux de l'empathie : d'une part, la résonance motrice (neurones miroir) dont le déclenchement est le plus souvent automatique et non intentionnel, d'autre part, la prise de conscience de la perspective de l'autre qui est plus contrôlée et intentionnelle. Deux fonctions innées nourrissent donc nos capacités à nous mettre mentalement à la place d'autrui, l'imitation, et l'intersubjectivité. L'imitation est une faculté automatique liée à l'activité de nos neurones miroir. Non seulement quand nous voyons une personne agir ou être dans une posture spécifique, nous sentons ce que cette personne éprouve, mais nous pouvons deviner ses intentions et ses sentiments.

Sur un écran, le sujet visionne un visage en images de synthèse qui prononce un discours. Le discours en question est diffusé par un lecteur audio indépendant. Une caméra filme l'utilisateur[2] à son insu et transmet en direct ses mouvements au logiciel de manière à ce que le visage de synthèse les reproduise très exactement, avec un décalage de quatre secondes. L'effet est spectaculaire, les sujets se sont massivement laissé convaincre par le discours lorsque l'ordinateur imitait leurs mimiques. Ils n'y ont en revanche pas adhéré lorsque le visage virtuel bougeait aléatoirement !

Le message est clair, si notre interlocuteur bouge comme nous, fait les mêmes mimiques, nous nous sentons compris, sur la même longueur d'onde, nous avons

---

1. Le monde.fr du lundi 10 novembre 2003.
2. Expérience de J. Bailenson et N. Yee, in *Cerveau et Psycho*, n° 12.

l'impression de partager la même expérience. La synchronie est un outil naturel de la relation.

Quelqu'un nous paraît sympathique lorsqu'il est en sympathie avec nous, c'est-à-dire quand nos neurones miroir vibrent à l'unisson, quand nous partageons les mêmes postures, les mêmes gestes, les mêmes représentations motrices dirons les scientifiques, mais aussi les mêmes vêtements, les mêmes prénoms, etc. Bref, d'autant plus que nous pourrons nous identifier à lui, ET qu'il manifestera de la sensibilité à notre vécu émotionnel et saura faire preuve d'empathie à notre égard.

La confiance

De tout temps, elle a accompagné la croissance des hommes. Pas de commerce possible sans confiance. Vous envoyez votre paiement, confiant dans le fait qu'on vous adressera votre marchandise. La confiance est en jeu dans toutes les relations sociales.

« Le niveau de confiance est le thermomètre de la santé individuelle et sociale » dit le Dr Jack Gibbs, qui a consacré de nombreuses années à la recherche sur ce sentiment. En confiance, on n'éprouve pas la nécessité de se protéger, de se défendre, on est naturellement plus créatif. On ose davantage, on est plus authentique… Ce qui induit fatalement de la confiance en retour.

En revanche, quand on ne se sent pas en confiance, on se crée une façade derrière laquelle on espère être caché. Quand chacun se dissimule ainsi derrière les voiles de ses attitudes protectrices, il ne peut y avoir d'intimité, les rapports empreints de peur ne peuvent être que des rapports de pouvoir. Pour écarter le danger, ou l'idée du danger, certains tentent de contrôler les autres, les autres se réfugient dans l'obéissance. Les deux voies n'ont que des issues désastreuses sinon dramatiques.

Le contrôle d'autrui éloigne l'intimité.

Philippe veut inspirer confiance. Pour cela, il dissimule ses failles et met le masque du « Je sais tout ». On ne peut le prendre en défaut. Il a toujours raison. On pourrait le croire fiable, mais non. Les gens ne lui font pas confiance. En revanche, Ivan inspire confiance, il ose montrer ses erreurs, parle sans fard ni masque, il est authentique.

Dans les relations humaines, la peur crée le danger. Nous l'avons vu sous l'angle de la projection, la synchronie renforce le phénomène. Quand vous avez peur, vous êtes tendu. Par le biais du phénomène universel de synchronie, votre interlocuteur est aussi tendu. S'il est très conscient de lui-même, il peut se dire « Tiens, il a peur » mais la plupart du temps, la personne n'identifiera qu'une légère tension en elle et ne se sentira pas très à l'aise. Soit elle est habituée à cette tension (c'était celle que ses parents avaient en permanence et vous allez rejouer leur rôle...), soit elle n'y est pas habituée, elle ne se sentira tout simplement pas bien avec vous.

Quand vous faites confiance, vous vous adressez à la meilleure partie des gens, ils le sentent. En revanche, si ce n'est pas une vraie confiance, mais la peur de la confrontation, ils le sentent aussi. C'est comme si vous les mettiez en position de vous dominer. Vous voler ou vous trahir est alors une suite logique des choses. Yves dirige une petite entreprise. « Je fais confiance » dit ce patron. En réalité, Yves craint de se confronter aux gens. Il ne surveille pas son personnel. Lequel est peut-être honnête, peut-être pas... Ce n'est donc pas vraiment de la confiance de la part d'Yves, même s'il aime à s'en convaincre.

L'intelligence/*inter legere* de nos émotions, l'intelligence des motivations de nos comportements, nous permettent de développer l'intelligence de l'émotion de l'autre, l'intelligence des motivations de ses comportements et donc l'intelligence des boucles rétroactives qui dirigent nos relations. Plus nous identifions les mécanismes psychiques qui nous animent, plus nous sommes capables de les identifier aussi chez les autres, de quitter le jugement au profit de l'empathie. Peu à peu s'élabore en nous **la conscience de l'interactivité**. Nous n'agissons pas, nous interagissons. Nous ne sommes pas, nous inter-sommes [1]. Si la société, le contexte, les autres, ont du pouvoir sur nous, nous en avons aussi sur autrui. Une fois récupéré le volant de notre vie, nous pouvons nous diriger vers l'accomplissement de nos valeurs et prendre conscience du pouvoir positif que nous sommes susceptibles d'exercer sur autrui.

---

1. Selon l'expression si juste du moine zen vietnamien Thich Nhat Hanh, fondateur de l'ordre de l'inter-être.

Conclusion

« Tu sais, il y a une chose qui m'a permis de survivre, je m'en rappellerai toujours. C'était dans le métro, comme je suis handicapé, en général les gens baissent les yeux, se détournent. Et là, cette femme m'a regardé avec amour. J'ai senti sa tendresse. C'était un moment magique. J'ai puisé dans ce regard, tu ne peux pas savoir. Elle m'a souri. Moi, je ne pouvais pas. J'étais pétrifié, mais qu'est-ce que ça m'a fait du bien. » Vingt ans plus tard, Jules se souvient encore de ce sourire au moment où il était si déprimé. Cette femme n'a jamais su l'importance qu'elle a eue dans son existence.

Un sourire, un regard, c'est si peu… Mais ils sont des rayons de soleil, illuminant le cœur de celui qui les reçoit, comme d'ailleurs de celui qui les adresse. Car sourire donne l'information à votre cerveau que vous êtes heureux et déclenche la physiologie correspondante. Regarder l'autre dans les yeux donne à vos neurones l'information « je suis en confiance avec cette personne, je suis sujet – et non objet – et mobilise la physiologie correspondante. Finalement, manifester de l'altruisme n'est pas seulement bénéfique pour les autres.

Nous avons à sortir de l'altruisme de sécurité, cette tentation que nous avons de nous porter au secours des gens sans qu'ils en aient vraiment besoin, cette propension à vouloir donner des solutions aux autres, à faire à leur place, tendances qui servent surtout à se rassurer sur sa propre image.

Le véritable altruisme consiste à cesser de se centrer uniquement sur soi, pour prendre conscience de notre place parmi les autres, et de notre pouvoir. Nous portons une part de responsabilité dans ce que vivent les autres autour de nous, nous pouvons assumer cette responsabilité et penser à donner davantage, un sourire, un regard, un signe... Donner sans oublier de demander et de recevoir pour ne pas violer la loi de réciprocité.

Sentir son pouvoir d'améliorer l'humeur des autres, leur donner davantage de confort, nous confère un sentiment de puissance personnelle qui compense plus justement le sentiment de frustration et d'impuissance que l'on peut éprouver en regardant l'état du monde. Plutôt que de nous réfugier dans des sentiments de victime, en écoutant les informations, « décidément le monde est injuste, violent et désespérant », nous pouvons exercer notre pouvoir pour sortir de la peur et du jugement le plus souvent possible au quotidien.

Consciente de ma tendance à porter des jugements sur autrui, lorsque je croise une personne et que je commence à entendre un début de jugement dans ma tête, je modifie mes pensées, je visualise ce qui lui arrive, ce dont il/elle a besoin. Je le vois heureux et surtout, je la remercie intérieurement de cette vie qu'elle expérimente. Consciente qu'une personne est comme elle est sous la pression de son histoire, des circonstances, de l'influence sociale... Elle fait une expérience unique dans le monde humain, la sienne. Je ne connais pas les détails de son tracé, je ne sais pas son chemin.

Lorsque Ségolène Royal s'est présentée aux élections présidentielles, j'ai été effarée par les jugements portés sur elle jusque dans mon entourage proche. Mes copines la décrivaient comme « dure, autoritaire, sèche ». Une de mes amies a même osé dire : « Je n'ai pas confiance en elle, elle est trop tendue. » Cette réflexion m'a fait mal, parce qu'elle montrait une méconnaissance de l'importance des enjeux et des phénomènes psychosociaux inconscients. Mes copines, des femmes, disaient « ce n'est pas parce que c'est une femme, mais je n'ai pas confiance en elle ». Bien sûr que c'était parce que c'était une femme ! Leurs préjugés, qu'elles doraient du joli nom d'« intime conviction », ne résistaient à l'analyse que parce qu'elles refusaient de les analyser. Elle était la première femme à être présente au second tour d'une élection présidentielle. Et oui, elle avait les traits tendus et son stress s'entendait dans sa voix. Et alors ? Qui, dans sa position, avec cet environnement – dont les jugements de mes copines – n'aurait eu un visage stressé ? L'analyse des pressions psychosociales dont elle était l'objet dépasserait le cadre de ce livre, mais j'espère que les quelques pages lues sur l'influence sociale vous permettent de mesurer davantage l'intensité des projections auxquelles Ségolène Royal avait à faire face. Nous nous imaginons que les gens sont comme ils sont en dehors de toute influence sociale. C'est faux. Lorsque nous regardons une personne, nous avons à prendre en compte la boucle rétroactive dans laquelle elle est prise. Le poids des attentes, des préjugés, des haines, était phénoménal. Elle n'avait pas seulement à présenter sa candidature, elle avait à lutter contre toutes ces influences inconscientes.

Durant la première période de ma vie, j'étais très secrète socialement, solitaire, plutôt à ne pas vouloir déranger et à ne pas désirer être dérangée. J'ai été à bonne école avec mon compagnon, qui parle à tout le monde, cherche à faire sourire les femmes et les hommes qu'il croise, que ce soit la caissière ou le receveur, le boulanger ou le médecin. Il crée le contact. Au début, j'ai maintes fois voulu rentrer sous terre. En voyant les sourires des gens, j'ai changé d'avis, désormais je parle aussi. Dans le train, dans les gares, sur la plage, au restaurant, pourquoi pas ? Tout le monde apprécie le contact, et lorsque je rencontre un visage fermé, je passe mon chemin, non sans avoir tenté de lui tirer une parole.

Ce jour-là, ma question était : comment me faire éditer aux États-Unis ? Je prends le TGV pour une émission à France Inter. J'allume mon ordinateur et je commence à travailler. Je m'abstrais du monde. Au bout d'un moment, je dois sortir mes bouchons d'oreille. Mon voisin, casque sur la tête, écoute de la musique. Malgré la petite mousse jaune dans mes oreilles, les vibrations des basses passent. Je saisis son regard et lui demande de baisser un peu le son... Il se confond en excuses : « C'était pour moi les petites boules jaunes ? Je me le suis demandé, mais je ne pensais pas qu'on pouvait entendre la musique à travers le casque. » Je reprends mon travail... Trois heures de train, c'est un peu long. Je range mon ordinateur et m'apprête à plonger dans un roman. Un petit tour aux toilettes m'oblige à déranger mon voisin. Il se lève très cordialement. De retour, nos yeux se croisent de nouveau... et invitent à la communication. Il me dit : « si vous habitez Paris, le bruit doit vous gêner ». J'accepte enfin d'entrer dans la conversation. Aix, Paris, New York, Californie, Moscou et Barcelone, nous avons vite fait le tour de la terre. « Que faites-vous dans la vie ? – Je suis écrivain », me répond-il. Un écrivain américain, quelle belle coïncidence. Un signe, diraient certains. Nous aimons voir des signes dans ce qui nous arrive, cela nous rassure, nous nous sentons moins seuls. J'aurais très bien pu ne pas parler à ce garçon à côté de moi. Notre rencontre ne se présentait pas sous les meilleurs auspices puisqu'il m'énervait

avec le bruit qu'il faisait. Mais finalement, eût-il été silencieux, il n'y aurait pas eu d'interaction.

Chaque personne que nous rencontrons nous porte un
message de la Vie. Bien sûr, nous croisons et parlons à
toutes sortes de personnes qui ne nous disent rien... Mais
parfois... C'est en parlant qu'on découvre. Le jeune écrivain américain travaillait sur la Russie. Justement, je sortais
d'un séminaire de thérapie sociale, très impressionnée par un
atelier sur la Russie. Nous avions bien des sujets de conversation en commun... Dommage que j'aie mis si longtemps à
sortir de mon isolement et à lui demander de baisser le son
de son ipod.

Une autre fois, toujours sur la même ligne de TGV,
mon voisin m'interroge sur ce que j'écris. Il se trouve qu'il
est un de mes fans. Quand il découvre qui je suis – ma photo
n'est pas sur mes livres – il est tout ébloui. Nous sommes
dans un compartiment à quatre... Nous découvrons bien vite
en impliquant les autres dans notre discussion que le troisième est un journaliste du journal *Psychologies*, journal
auquel je collabore régulièrement. Quel hasard nous a placés
ensemble dans ce carré ?

Une femme dort en face de moi. Sur son sac, un livre
retourné... je reconnais un de mes livres. Je pourrais ne rien
dire. Mais lorsque le contrôleur interrompt sa sieste, j'ose :
« Vous aimez ? » Heureusement, elle répond : « Oui, beaucoup. » Je propose de le signer. Vous êtes l'auteure ? Elle est
toute contente. J'apprends alors qu'elle m'avait remarquée
dans la gare. « Il se dégageait de vous quelque chose de
serein qui m'attirait. » Mais ses parents, comme de nombreux parents, lui avaient intimé l'ordre de ne pas déranger
des gens qu'elle ne connaissait pas... Et elle était obéissante.
Si elle s'était écoutée, elle aurait pu se dire « ça me fait OUI
d'aller parler avec cette personne ». Son intuition lui faisait

porter un jugement, « quelque chose de serein », c'était une interprétation d'une sensation intuitive d'envie de contact.

Nous étions ensuite assises presque face à face, mais là encore, tant qu'elle ne recevait pas une permission, elle n'osait pas me parler. Ce fut une belle rencontre. Quand je pense que nous aurions pu ne rien nous dire, ne pas oser entrer en relation. Nous aurions perdu beaucoup toutes les deux.

Quand nos chemins se croisent, il est fréquent que nous ayons quelque chose à nous apporter. À vrai dire, ce sera d'autant plus fréquent que nous oserons échanger quelques mots. Si nous abordons nos rencontres sous cet angle : « Toute personne rencontrée est porteuse d'un message pour moi », elles seront aussi plus productives. Ne vous est-il jamais arrivé de vous asseoir « par hasard » à la table d'une personne qui avait la réponse à la question que vous aviez en tête ? Si la réponse est non, osez donc parler un peu plus avec vos voisins, vous serez surpris !

Chaque humain sur terre a un message à nous délivrer, parce que chaque humain a emprunté un autre chemin que nous, a exploré une autre route. Chacun a son histoire, ses émotions, son vécu, ses pensées, son parcours. Partager nos expériences, notre vision de la vie, nos pensées et nos émotions, nous rend plus riches et plus intelligents. Et puis, nous l'avons vu, le simple fait d'augmenter nos contacts avec autrui, donc notre nombre de stimulations sociales, accroît les sentiments de félicité et de confiance en soi et en la vie, et nous maintient en meilleure santé tant physique de psychologique.

Augmenter nos compétences sociales nous permettra d'être plus heureux et plus libres. Ne pas se sentir responsable, vivre en dépendance des autres et des situations confère un illusoire sentiment de sécurité, mais fait en réalité le lit de la peur et ne nous mène pas vers le bonheur. Exercer nos compétences, donner et recevoir, créer du lien et prendre notre place dans la société nous rendra sûrement plus heureux. Nous pouvons, au quotidien, sortir de la position d'objet et devenir sujet, chaque jour un peu plus. Chaque personne est importante et unique.

Table des matières

Ce volume a été composé
par FACOMPO à Lisieux (Calvados)

Impression réalisée par
CPI BRODARD ET TAUPIN
La Flèche
en avril 2009

Imprimé en France
Dépôt légal : mai 2009
N° d'édition : 01 – N° d'impression : 52324